Wok- & Pfannengerichte

Siân Davies

Design: Digital Artworks Partnership Ltd
Fotos: Iain Bagwell
Rezepte: Emma Patmore und Penny Stephens

Parragon
Queen Street House
4 Queen Street
Bath BA1 1 HE, UK

Übersetzung aus dem Englischen: Gisela Sturm, München
Redaktion: Regine Ermert, Ralph Henry Fischer, Köln
Producing und Satz: Birgit Beyer, Köln

HINWEIS

Sind Zutaten in Löffelmengen angegeben, ist immer ein gestrichener Löffel gemeint. Ein Teelöffel entspricht 5 ml, ein Esslöffel 15 ml. Sofern nichts anderes angegeben ist, wird Vollmilch (3,5 % Fett) verwendet. Bei Eiern und einzelnen Gemüsesorten, z. B. Kartoffeln, verwenden Sie mittelgroße Exemplare. Pfeffer sollte stets frisch gemahlen werden. Sofern die Schale von Zitrusfrüchten benötigt wird, verwenden Sie unbedingt unbehandelte Früchte.

Kinder, ältere Menschen, Schwangere, Kranke und Rekonvaleszenten sollten auf Gerichte mit rohen oder nur leicht gegarten Eiern verzichten.

Genehmigte Sonderausgabe für den Buch und Zeit Verlag, Köln

ISBN 3-8166-2323-9

Printed in China

Inhalt

Einleitung

In der asiatischen Küche spielt der Wok eine wichtige Rolle, weil sich mit ihm die vielfältigsten Speisen zubereiten lassen. Für die köstlichen Rezepte, die wir Ihnen im Folgenden vorstellen, lohnt es einen Wok anzuschaffen, mit dem man bessere Ergebnisse als mit der herkömmlichen Bratpfanne erzielt. Ein Wok ist ein gewölbtes, flaches, halbkugelförmiges Kochgerät aus Metall, das an einer Seite mit einem langen Holzstiel oder mit zwei gegenüberliegenden schlaufenförmigen Griffen versehen ist. Es gibt ihn in vielen Größen, der Standarddurchmesser für den Wok einer Familie beträgt jedoch 30–35 cm. Woks werden aus Edelstahl, Gusseisen oder Kupfer hergestellt, wobei Gusseisen bei richtiger Vorbehandlung die Hitze am besten speichert. Im Vergleich zur Bratpfanne bietet der Wok viele Vorteile. Durch seine Form lässt sich das Gargut mühelos verrühren und wenden (die Voraussetzung des Pfannenrührens). Außerdem ist es schneller gar und bleibt durch Schwenken oder Kreisen des Woks gleichmäßig in Kontakt mit dem Boden.

Durch die gewölbte Form heizt der Wok rasch auf und wird zu einer einzigen großen Garfläche. Dadurch hilft er, Energie zu sparen, und ist für die kurzen Garzeiten pfannengerührter Gerichte ideal. Auch lässt er sich bequem säubern, weil sich auf der glatten Fläche keine Speisereste ablagern.

NÜTZLICHES ZUBEHÖR

Der Wok wird durch eine Reihe praktischer Requisiten ergänzt. Damit er auf den Kochfeldern der modernen Elektroherde benutzt werden kann, sollte er einen abgeflachten Boden besitzen, bei rundem Boden ist ein Wok-Ring – ein abgeschrägter Metallring mit Löchern – erforderlich. Holzgriffe schützen die Hände gegen die Hitze.
Zur Grundausstattung gehört ein langstieliger, vorn abgerundeter Spatel, der beim Rühren der Wölbung des Woks folgt. Der Wok ist auch zum Frittieren und Dämpfen geeignet. Mit dem Sieblöffel lässt sich Frittiergut aus dem Öl heben und auf den eingehängten Abtropfrost legen, und mit einem Dämpfeinsatz verwandeln Sie Ihren Wok in einen Dampfkochtopf. Bei manchen Rezepten ist auch ein Deckel notwendig; er sollte glockenförmig sein und fest schließen, um die Aromen zu erhalten. All diese Requisiten sind in vielen Wok-Sets bereits enthalten, denn sie sind unverzichtbar, wenn man die Vielseitigkeit des Woks voll ausschöpfen will.

PFLEGEANLEITUNG

Vor dem ersten Gebrauch wird der Wok genau wie eine Bratpfanne vorbehandelt. Man wischt ihn innen und außen mit ölgetränktem Küchenpapier ab und erhitzt ihn dann im Backofen oder auf einem Kochfeld. Anschließend lässt man ihn abkühlen und wiederholt den Vorgang mehrmals, bis sich eine schützende Patina bildet – sie erleichtert das Säubern und wirkt wie eine Antihaftversiegelung. Danach können Sie den Wok mit Wasser und Spülmittel säubern; besteht er aus Gusseisen, muss er wegen Rostgefahr danach sofort trockengerieben werden.

Normalerweise wischt man ihn einfach nur mit Küchenpapier sauber, sodass er immer dunkler wird. An der Farbe sieht man, wie häufig er benutzt wird. Man sagt: Je dunkler der Wok, desto besser der Koch.

PFANNENRÜHREN

So nennt man das Braten im Wok. Diese ursprünglich chinesische Garmethode konnte sich über alle Länder Ostasiens verbreiten. Die chinesische Bezeichnung Ch'au bedeutet, dass alle Zutaten sehr klein geschnitten und in 1 bis 2 Esslöffeln Fett kurz gebraten werden. Dabei wird das Gargut mit langen Bambusstäbchen oder einem Spatel unter Hinzufügen von Gewürzen und Würzsaucen durch stetes Verrühren gegart.

Häufig geht man dabei schrittweise vor. Man beginnt mit den Zutaten, die längere Garzeiten benötigen und nimmt sie dann heraus, um sie später in den Wok zurückzugeben; so bleibt der Eigengeschmack erhalten. Vor dem Servieren werden alle Zutaten noch einmal zusammen im Wok erhitzt. Die gebräuchlichsten Garfette sind Erdnussöl und Maiskeimöl; für besonders delikate Rezepte nimmt man auch Hühner- oder Schweineschmalz.

Beim Pfannenrühren gibt es verschiedene Vorgehensweisen:

Nach der so genannten Liu-Methode wird das Gargut im Wok geschwenkt und nicht so kräftig gerührt. Am Ende wird eine Mischung aus Speisestärke, Brühe, Zucker, Essig und Sojasauce hinzugefügt und das Gargut darin gewendet, sodass ein köstlicher Überzug entsteht.

Pao bedeutet „Explosion"; bei dieser Methode wird das Gargut auf höchster Temperaturstufe erhitzt und in ca. 1 Minute sehr schnell und scharf gebraten. Durch vorheriges Marinieren werden die Zutaten zarter und aromatischer.

DER WOK UND SEINE VERBREITUNG

In Asien präsentiert sich der vielseitige Wok in verschiedenen Aufmachungen. In Indien gibt es den Karahi, eine große, wokähnliche Pfanne, die sich zum Dämpfen und Braten eignet. In Indonesien werden Currys, Reisgerichte und schnelle kurz gebratene Speisen in einem wajan oder Wok über einem Holz- oder Holzkohlenfeuer zubereitet – das Gleiche gilt für Japan, Thailand, Singapur und Malaysia, deren Küchen von China beeinflusst sind. Sogar ein mongolischer Grill – ein gewölbter Rost aus Metall – erinnert an den Wok.

Aus all dem lässt sich ersehen, dass der Wok und die verschiedenen Methoden des Pfannenrührens im gesamten asiatischen Raum von einzigartiger Bedeutung sind, da sie eine rasche, schonende und ungemein vielfältige Küche erlauben. Mit den folgenden Rezepten möchten wir Ihnen den Zauber asiatischer Kochkunst vermitteln, wobei das Spektrum von Suppen und Vorspeisen über Fleisch, Geflügel, Fisch und Gemüse bis hin zu Reis und Nudeln reicht. Und jetzt stellen Sie Ihren Wok bereit und freuen Sie sich auf eine kulinarische Erlebnisreise!

Suppen & Vorspeisen

Suppe ist in der asiatischen Küche unverzichtbar und vor allem in China, Japan, Korea und Südostasien beliebt. Hühnersuppe wird in China, Malaysia und Thailand manchmal sogar zum Frühstück serviert! Ansonsten essen Asiaten Suppe nicht wie Europäer zum Auftakt des Menüs, sondern während einer Menüfolge, um den Gaumen freizumachen für den Geschmack des nächsten Ganges. Es gibt die köstlichsten Varianten, dicke, dünne und natürlich auch klare Suppen, die oft mit Wantans oder Klößchen-Einlage gereicht werden. In Japan werden die klaren Suppen in Form erlesener Arrangements aus Fisch, Fleisch, Gemüse und Brühe serviert.

Vorspeisen oder Snacks sind gewöhnlich bissfest und knackig, so z. B. Frühlingsrollen, die im Fernen Osten in allen möglichen Variationen auftauchen. Satay-Spieße werden in Indonesien, Malaysia und Thailand gereicht und auch andere Delikatessen sind an Spießen erhältlich oder mundgerecht in Teig, Brot oder Reispapier verpackt.

In diesem Kapitel haben wir eine Auswahl köstlicher Suppen und Vorspeisen für Sie zusammengestellt, wahre Gaumenkitzler, ideal zum Auftakt des Menüs.

Scharfe Hühner-Nudel-Suppe

Thailändische Gewürze geben dieser sättigenden Suppe ihr wunderbares Aroma, und die Zutaten schaffen eine appetitanregende Farbkombination.

Für 4 Personen

ZUTATEN

2 EL Tamarindenpaste
4 rote Chilischoten, fein gehackt
2 Knoblauchzehen, zerdrückt
2,5-cm-Stück Galgant, geschält und sehr fein gehackt
4 EL Fischsauce
2 EL feiner Zucker
8 Limettenblätter, grob gezupft
1,2 l Hühnerbrühe
350 g Hühnerbrustfilet
100 g Möhren, in hauchdünnen Scheiben
350 g Süßkartoffeln, gewürfelt
100 g Babymaiskolben, halbiert
3 EL grob gehackter frischer Koriander
100 g Kirschtomaten, halbiert
150 g flache Reisnudeln
frisch gehackter Koriander, zum Garnieren

1 Tamarindenpaste, Chillies, Knoblauch, Galgant, Fischsauce, Zucker, Limettenblätter und Hühnerbrühe in einen vorgewärmten Wok geben und unter ständigem Rühren aufkochen lassen. Hitze reduzieren und 5 Minuten garen.

2 Hühnerfleisch mit einem scharfen Messer in schmale Streifen schneiden. In den Wok geben und alles 5 Minuten unter Rühren weitergaren.

3 Hitze reduzieren, dann Möhren, Süßkartoffeln und Mais zufügen. Alles 5 Minuten ohne Deckel köcheln lassen, sodass das Gemüse bissfest und das Hühnerfleisch durchgegart ist.

4 Koriander, Kirschtomaten und Nudeln unterrühren. Weitere 5 Minuten köcheln lassen, bis die Nudeln gar sind. Mit Koriander bestreuen und heiß servieren.

TIPP

Tamarindenpaste verleiht Suppen und Saucen Geschmack und färbt sie braun. Als Ersatz kann man Zuckerrübensirup (dunkler Muscovado) mit Limettensaft verrühren.

Nudelsuppe mit Krebsfleisch und Mais

Krebse und Mais sind klassische Zutaten in der chinesischen Küche. Für ein sättigendes Mahl werden hier noch Eiernudeln hinzugefügt.

Für 4 Personen

ZUTATEN

- 1 EL Sonnenblumenöl
- 1 TL Fünf-Gewürze-Pulver
- 225 g Möhren, in Stifte geschnitten
- 150 g Mais aus der Dose
- 75 g Erbsen
- 6 Frühlingszwiebeln, in Ringen
- 1 rote Chilischote, entkernt und sehr fein gehackt
- 400 g weißes Krebsfleisch aus der Dose
- 175 g Eiernudeln
- 1,7 l Fischbrühe
- 3 EL Sojasauce

1 Sonnenblumenöl in einem großen, vorgewärmten Wok erhitzen.

2 Fünf-Gewürze-Pulver, Möhren, Mais, Erbsen, Frühlingszwiebeln und Chili zufügen und ca. 5 Minuten pfannenrühren.

3 Krebsfleisch hineingeben und ca. 1 Minute weiterrühren.

4 Eiernudeln in große Stücke brechen und zugeben.

5 Brühe und Sojasauce zugießen, alles aufkochen und zugedeckt ca. 5 Minuten köcheln lassen.

6 Fertige Suppe in vorgewärmte Schalen gießen und sofort servieren.

TIPP

Fünf-Gewürze-Pulver besteht aus Sternanis, Fenchel, Nelken, Zimt und Szechuan-Pfeffer.

TIPP

Mit dünnen Eiernudeln gelingt dieses Rezept besonders gut.

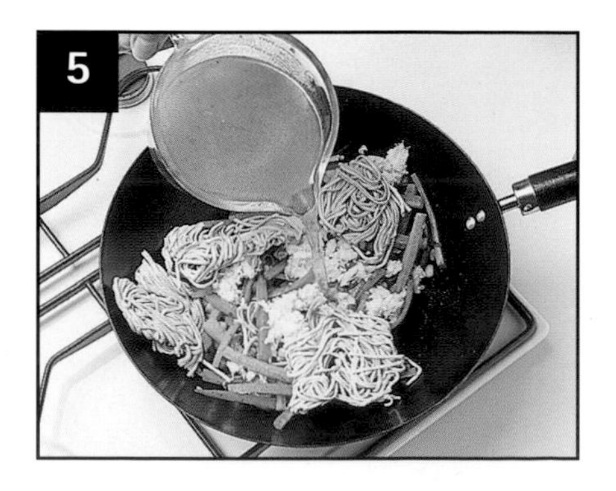

Scharfe Thai-Suppe mit Garnelen

Limettenblätter sind ein klassisches Gewürz der thailändischen Küche, sie verleihen den Gerichten eine leicht herbe Note.

Für 4 Personen

ZUTATEN

- 2 EL Tamarindenpaste
- 4 rote scharfe Chilischoten, sehr fein gehackt
- 2 Knoblauchzehen, zerdrückt
- 2,5-cm-Stück Galgant, geschält und sehr fein gehackt
- 4 EL Fischsauce
- 2 EL feiner Zucker
- 8 Limettenblätter, grob gezupft
- 1,2 l Fischbrühe
- 100 g Möhren, in hauchdünnen Scheiben
- 350 g Süßkartoffeln, gewürfelt
- 100 g Babymaiskolben, halbiert
- 3 EL grob gehackter frischer Koriander
- 100 g Kirschtomaten, halbiert
- 225 g Garnelen

1 Tamarindenpaste, Chillies, Knoblauch, Galgant, Fischsauce, Zucker, Limettenblätter und Brühe in einen großen, vorgewärmten Wok geben. Unter ständigem Rühren aufkochen.

2 Hitze reduzieren, Möhren, Süßkartoffeln und Mais zugeben.

3 Suppe unbedeckt etwa 10 Minuten köcheln lassen, bis das Gemüse bissfest ist.

4 Koriander, Kirschtomaten und Garnelen in den Wok geben und 5 Minuten ziehen lassen.

5 Fertige Suppe in vorgewärmte Schalen gießen und heiß servieren.

TIPP

Babymais schmeckt und duftet süßlich. Er ist frisch und als Konserve erhältlich.

TIPP

Galgant oder Thai-Ingwer ist ein Verwandter des herkömmlichen Ingwers. Er ist gelb mit rosarötlichen Seitensprossen, aromatisch und nicht so scharf.

1

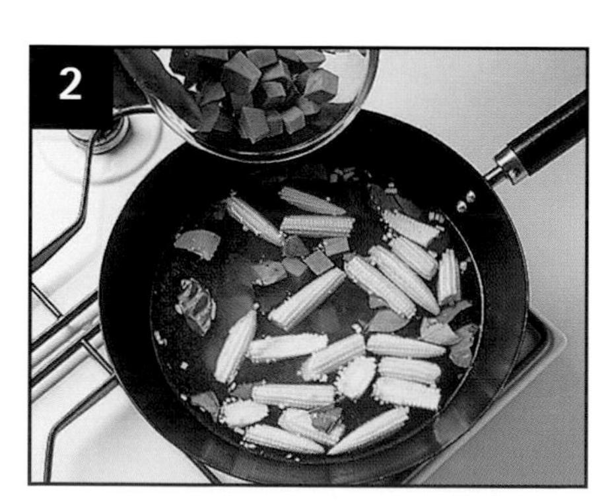

2

4

Kokossuppe mit Krebsfleisch

Thailändische rote Currypaste ist sehr scharf, doch man sollte hier nicht auf sie verzichten, da sie dieser Suppe einen delikaten Geschmack verleiht.

Für 4 Personen

ZUTATEN

- 1 EL Erdnussöl
- 2 EL rote Currypaste
- 1 rote Paprika, entkernt und in Streifen geschnitten
- 600 ml Kokosmilch
- 600 ml Fischbrühe
- 2 EL Fischsauce
- 225 g weißes Krebsfleisch, frisch oder aus der Dose
- 225 g Krebsscheren, frisch oder tiefgefroren
- 2 EL frisch gehackter Koriander
- 3 Frühlingszwiebeln, in Ringen

1 Erdnussöl in einem großen, vorgewärmten Wok erhitzen.

2 Currypaste und Paprika zugeben und 1 Minute pfannenrühren.

3 Kokosmilch, Fischbrühe und Fischsauce in den Wok geben und alles aufkochen lassen.

4 Krebsfleisch zufügen, dann Krebsscheren, Koriander und Frühlingszwiebeln hineingeben. 2–3 Minuten alles gründlich verrühren und heiß werden lassen.

5 Fertige Suppe in Schalen gießen und heiß servieren.

TIPP

Den Wok nach Gebrauch mit Wasser säubern, wenn notwendig mit einem milden Spülmittel, einem Lappen oder einer weichen Bürste. Durch Scheuern und ätzende Mittel verkratzt die Oberfläche! Den Wok mit Küchenpapier trockenwischen, dann innen und außen mit ölgetränktem Küchenpapier einreiben.

TIPP

Kokosmilch macht das Gericht mild und cremig. Sie ist in Pulverform und gebrauchsfertig in Dosen erhältlich.

2

3

4

Chili-Fischsuppe

Durch getrocknete chinesische Pilze erhält diese Suppe ein einzigartiges intensives Aroma. Falls Sie keine chinesischen Pilze finden, können Sie auch gewöhnliche Champignons verwenden.

Für 4 Personen

ZUTATEN

- 15 g getrocknete chinesische Pilze
- 2 EL Sonnenblumenöl
- 1 Zwiebel, in Ringen
- 100 g Zuckererbsen
- 100 g Bambussprossen
- 3 EL süße Chilisauce
- 1,2 l Fisch- oder Gemüsebrühe
- 3 EL helle Sojasauce
- 2 EL frisch gehackter Koriander
- 450 g Kabeljaufilet, enthäutet und gewürfelt
- zusätzlicher Koriander, zum Garnieren

1 Pilze in eine große Schüssel geben. So viel kochendes Wasser zugießen, dass sie bedeckt sind und 5 Minuten einweichen. Dann mit einem scharfen Messer grob hacken.

2 Sonnenblumenöl in einem vorgewärmten Wok erhitzen. Zwiebelringe zufügen und 5 Minuten pfannenrühren.

3 Zuckererbsen, Bambussprossen, Chilisauce, Brühe und Sojasauce in den Wok geben und aufkochen lassen.

4 Koriander und Fischwürfel zufügen. Alles 5 Minuten köcheln lassen, bis der Fisch gar ist.

5 Die Suppe in vorgewärmte Schalen gießen, nach Belieben mit zusätzlichem Koriander bestreuen und heiß servieren.

TIPP

Zahlreiche Pilze werden getrocknet angeboten. Am besten eignen sich Shiitake. Sie sind nicht billig, aber sehr ergiebig.

VARIATION

Für die edlere Variante kann man Kabeljau durch Seeteufel (Schwanzstück) ersetzen.

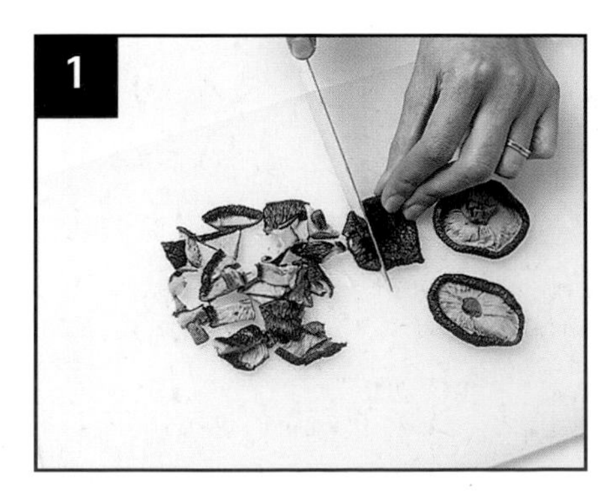

Sauer-scharfe Pilzsuppe

Sauer-scharfe Pilzsuppen sind in ganz Südostasien beliebt, doch jeder Koch hat sein Rezept. Für einen milderen Geschmack können Sie einfach die Chilischoten reduzieren.

Für 4 Personen

ZUTATEN

2 EL Tamarindenpaste
4 rote Chilischoten, sehr fein gehackt
2 Knoblauchzehen, zerdrückt
2,5-cm-Stück Galgant, geschält und sehr fein gehackt
4 EL Fischsauce
2 EL feiner Zucker
8 Limettenblätter, grob gezupft
1,2 l Gemüsebrühe
100 g Möhren, hauchdünn geschnitten
225 g Champignons, halbiert
350 g Weißkohl, in Streifen
100 g zarte grüne Bohnen, halbiert
3 EL grob gehackter frischer Koriander
100 g Kirschtomaten, halbiert

1 Tamarindenpaste, Chillies, Knoblauch, Galgant, Fischsauce, Zucker, Limettenblätter und Brühe in einen großen, vorgewärmten Wok geben. Alles vermengen und unter gelegentlichem Rühren aufkochen.

2 Hitze reduzieren, dann Möhren, Pilze, Kohl und Bohnen zufügen. Suppe ohne Deckel ca. 10 Minuten köcheln lassen, das Gemüse soll noch bissfest sein.

3 Koriander und Kirschtomaten untermischen und 5 Minuten rühren, bis alles gleichmäßig heiß ist.

4 Die Suppe in Schalen gießen und heiß servieren.

TIPP

Tamarindenpaste verleiht Thai-Gerichten eine besondere süß-saure Geschmacksnote.

VARIATION

Falls Weißkohl durch milderen Chinakohl ersetzt wird, die Blätter zusammen mit dem Koriander und den Kirschtomaten (Schritt 3) in den Wok geben.

Scharfe Maisbällchen nach Thai-Art

Maismehl können Sie in Bioläden oder Reformhäusern finden. Hier wird das Mehl zum Binden verwendet.

Für 4 Personen

ZUTATEN

225 g Zuckermais aus der Dose oder tiefgefroren
2 rote Chilischoten, entkernt und sehr fein gehackt
2 Knoblauchzehen, zerdrückt
10 Limettenblätter, sehr fein gehackt
2 EL frisch gehackter Koriander
1 großes Ei
75 g Maismehl
100 g zarte grüne Bohnen, sehr fein geschnitten
Erdnussöl, zum Frittieren

1 Zuckermais, Chillies, Knoblauch, Limettenblätter, Koriander, Ei und Maismehl in eine große Schüssel geben und gründlich vermengen.

2 Bohnen zufügen und mit einem Holzlöffel gut unter die anderen Zutaten mischen.

3 Aus dem Teig kleine Bällchen formen und mit den Handflächen flach andrücken.

4 Etwas Erdnussöl in einem vorgewärmten Wok erhitzen.

5 Teigbällchen portionsweise hineingeben und unter häufigem Wenden knusprig ausbraten.

6 Auf vorgewärmte Teller geben und sofort servieren.

TIPP

Die glänzend dunkelgrünen Limettenblätter erinnern im Geschmack an Zitronen und Limetten. In asiatischen Lebensmittelläden werden sie frisch und getrocknet angeboten.

TIPP

Wenn Sie Mais aus der Dose verwenden, den Inhalt abtropfen lassen und abspülen.

Vegetarische Frühlingsrollen

Frühlingsrollen gibt es in Südostasien in zahlreichen Varianten. Die vegetarische Füllung gehört dabei zu den klassischen Versionen.

Für 4 Personen

ZUTATEN

225 g Möhren
1 rote Paprika
1 EL Sonnenblumenöl
75 g Bohnensprossen
feine Zesten und Saft von 1 Limette
1 rote Chilischote, entkernt und sehr fein gehackt
1 EL Sojasauce
$^1/_2$ TL Pfeilwurzelstärke
2 EL frisch gehackter Koriander
8 Blatt Frühlingsrollen-Teig
25 g Butter, zerlassen
2 TL Sesamöl
zusätzliches Öl, zum Frittieren
Frühlingszwiebeln als Blüte aufgeschnitten, zum Garnieren
Chilisauce, zum Servieren

1 Möhren mit einem scharfen Küchenmesser in dünne Stifte schneiden. Paprika entkernen und in schmale Streifen schneiden.

2 Sonnenblumenöl in einem vorgewärmten Wok erhitzen.

3 Möhren, Paprika und Bohnensprossen hineingeben und 2 Minuten pfannenrühren. Dann den Wok vom Herd nehmen, Limettenzesten und -saft sowie Chilischote zufügen.

4 Sojasauce mit Pfeilwurzelstärke verrühren und über die Zutaten im Wok gießen, umrühren und wieder auf den Herd stellen. 2 Minuten garen, bis die Flüssigkeit eindickt. Koriander zufügen und alles gut vermengen.

5 Teigblätter mit einer Mischung aus Butter und Sesamöl bestreichen. Auf jedes Teigblatt einen Löffel Gemüsefüllung geben, die langen Ränder darüber schlagen und die Teigplatte aufrollen.

6 Zusätzliches Öl in den Wok geben und die Rollen darin portionsweise 2–3 Minuten goldbraun braten. Mit Frühlingszwiebeln garnieren. Heiß mit Chilisauce zum Dippen servieren.

TIPP

Anstelle von Frühlingsrollen-Teig können Sie auch gebrauchsfertige Wantan-Hüllen aus asiatischen Lebensmittelläden verwenden.

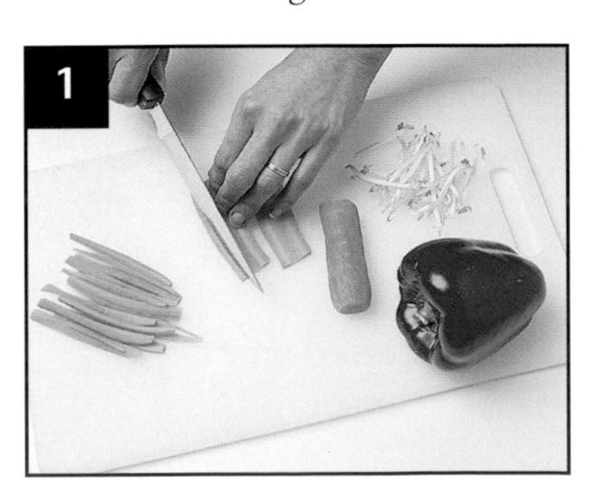
1

4

5

Frittierte Auberginen

Zu diesem sehr einfachen Gericht passt am besten ein Chili-Dip.

Für 4 Personen

ZUTATEN

450 g Auberginen, gesäubert
1 Eiweiß
50 g Speisestärke
1 TL Salz
1 EL Sieben-Gewürze-Pulver
Öl, zum Frittieren

1 Auberginen mit einem scharfen Küchenmesser in dünne Scheiben schneiden.

2 Eiweiß in eine kleine Schale geben und steif schlagen.

3 Speisestärke, Salz und Sieben-Gewürze-Pulver auf einem großen Teller vermengen.

4 Öl in einem großen Wok erhitzen.

5 Auberginenscheiben nacheinander zuerst in den Eischnee tauchen und dann in der gewürzten Stärke wenden.

6 Bemehlte Auberginenscheiben portionsweise in den Wok geben und 5 Minuten knusprig und goldbraun frittieren.

7 Gebackene Auberginen auf Küchenpapier abtropfen lassen. Noch heiß auf Tellern anrichten und sofort servieren.

TIPP

Erdnussöl ist bestens zum Frittieren geeignet. Es hat einen hohen Rauchpunkt, brennt nicht an und verfärbt die Speisen nicht. Etwa 600 ml Öl reichen aus.

TIPP

Thailändisches Sieben-Gewürze-Pulver ist in großen Supermärkten erhältlich.

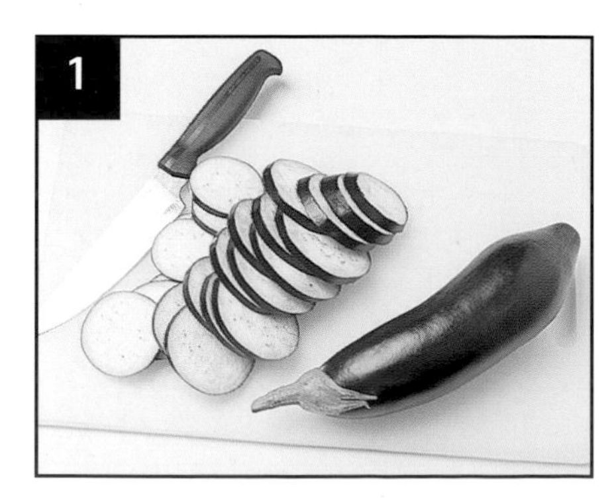
1

3

5

Gebratener Tofu mit Erdnuss-Chili-Sauce

Goldbraun frittierte Tofuwürfel werden hier mit einer scharfen, cremigen Erdnuss-Chili-Sauce als vegetarische Vorspeise serviert.

Für 4 Personen

ZUTATEN

450 g Tofu , gewürfelt
Öl, zum Frittieren

SAUCE:
6 EL grobe Erdnussbutter
1 EL süße Chilisauce
150 ml Kokosmilch
1 EL Tomatenmark
25 g gesalzene Erdnüsse, gehackt

1 Tofu mit Küchenpapier rundherum trockentupfen.

2 Öl in einem großen Wok sehr stark erhitzen. Tofuwürfel portionsweise in ca. 5 Minuten knusprig braten. Tofu mit einem Schaumlöffel herausnehmen und zum Abtropfen auf Küchenpapier legen.

3 Für die Sauce Erdnussbutter mit Chilisauce, Kokosmilch, Tomatenmark und Erdnüssen in einer Schüssel vermischen. Um eine glatte Konsistenz zu erhalten, gegebenenfalls etwas kochendes Wasser zugießen.

4 Kross gebratene Tofuwürfel in Schalen geben und zusammen mit der Erdnuss-Chili-Sauce servieren.

TIPP

Tofustücke vor dem Braten unbedingt vollständig trockentupfen, damit sie kross werden.

TIPP

Vor dem Servieren können Sie die Erdnuss-Chili-Sauce in einer Kasserolle bei niedriger Hitze aufwärmen.

Knuspriger Pak-Choi-Salat

Bei dieser schmackhaften chinesischen Vorspeise wird Pak Choi frittiert, gesalzen und mit Pinienkernen vermengt.

Für 4 Personen

ZUTATEN

1 kg Pak Choi
850 ml Erdnussöl, zum Frittieren
1 TL Salz
1 EL feiner Zucker
50 g Pinienkerne, geröstet

1 Pak-Choi-Blätter unter fließendem Wasser säubern, dann mit Küchenpapier völlig trockentupfen.

2 Jedes Blatt einzeln zusammenrollen und in schmale Streifen schneiden.

3 Öl in einem Wok erhitzen. Pak Choi zugeben und ca. 30 Sekunden knusprig braten, bis die Streifen sich kräuseln (eventuell in 4 Portionen aufteilen).

4 Das knusprig gebratene Gemüse mit einem Schaumlöffel aus dem Wok nehmen und zum Abtropfen auf Küchenpapier legen.

5 Gemüsestreifen in eine große Schüssel geben. Mit Salz, Zucker und Pinienkernen mischen und sofort servieren.

TIPP

Sie können den Pak Choi auch in der Küchenmaschine zerkleinern. Nehmen Sie nur die schönsten Blätter und entfernen Sie die harten Außenblätter, die Geschmack und Konsistenz des Gerichts verderben können.

VARIATION

Ersetzen Sie Pak Choi durch Wirsing. Die Blätter müssen völlig trocken sein, bevor sie in Öl gebraten werden.

1

2

4

Scharfe Hühnerleber mit Pak Choi

Für dieses in China sehr beliebte Gericht wird Hühnerleber mit Pak Choi in einer würzigen Sauce gebraten.

Für 4 Personen

ZUTATEN

350 g Hühnerleber
2 EL Sonnenblumenöl
1 rote Chilischote, entkernt und fein gehackt
1 TL frisch geraspelter Ingwer
2 Knoblauchzehen, zerdrückt
2 EL Tomatenketchup
3 EL Sherry
3 EL Sojasauce
1 TL Speisestärke
450 g Pak Choi
Eiernudeln, zum Servieren

1 Das Fett von der Leber entfernen. Dann die Leber in kleine Stücke schneiden.

2 Öl in einem großen Wok erhitzen. Leberstückchen zugeben und unter ständigem Rühren 2–3 Minuten scharf anbraten.

3 Chili, Ingwer und Knoblauch zufügen und ca. 1 Minute weiterrühren.

4 Tomatenketchup, Sherry, Sojasauce und Speisestärke in einer kleinen Schüssel verrühren und beiseite stellen.

5 Pak Choi in den Wok geben und braten, bis die Blätter zusammenfallen.

6 Ketchupmischung in den Wok geben und erhitzen, bis die Flüssigkeit zu kochen beginnt.

7 Auf Schalen verteilen und mit Eiernudeln heiß servieren.

TIPP

Bei trockener, kühler Lagerung ist frischer Ingwer wochenlang haltbar.

TIPP

Frische oder tiefgefrorene Hühnerleber gibt es in fast jedem Supermarkt.

Fischbällchen nach Thai-Art

Die kleinen Fischbällchen sind schnell zubereitet und schmecken am besten mit einer Chilisauce serviert.

Für 4 Personen

ZUTATEN

450 g Kabeljaufilet, enthäutet
2 EL Fischsauce
2 scharfe rote Chilischoten, entkernt und sehr fein gehackt
2 Knoblauchzehen, zerdrückt
10 Limettenblätter, sehr fein gehackt
2 EL frisch gehackter Koriander
1 großes Ei
25 g Mehl
100 g feine grüne Bohnen, sehr fein geschnitten
Erdnussöl, zum Frittieren

1 Kabeljaufilet mit einem scharfen Küchenmesser in mundgerechte Stücke schneiden.

2 Fischstücke zusammen mit Fischsauce, Chillies, Knoblauch, Limettenblättern, Koriander, Ei und Mehl in die Schüssel einer Küchenmaschine geben. Alles fein zerhacken und den Teig in eine große Schüssel umfüllen.

3 Bohnen in die Schüssel geben und mit dem Fischteig vermengen.

4 Fischteig zu kleinen Bällchen formen und flach drücken.

5 Etwas Öl in einem vorgewärmten Wok erhitzen. Bällchen darin von allen Seiten goldbraun braten.

6 Bällchen auf einer Platte anrichten und heiß servieren.

VARIATION

Alle Fischfiletarten und Krustentiere sind geeignet, z. B. Schellfisch, Krebs- oder Hummerfleisch.

TIPP

Die Fischsauce verleiht diesem Gericht den authentischen Geschmack. Sie lässt sich wie Sojasauce zum Salzen verwenden, ist aber milder. Die Sauce ist in asiatischen Lebensmittelläden erhältlich.

2

3

4

Knusprige Teigtaschen mit Garnelen

Erdnussbutter ist in Südostasien sehr beliebt und passt zu vielen Zutaten. Hier wird sie mit frischen Garnelen zu einem herrlichen Gericht kombiniert.

Für 4 Personen

ZUTATEN

450 g Garnelen, ausgelöst bis auf das Schwanzende
3 EL grobe Erdnussbutter
1 EL Chilisauce
10 Blätter Frühlingsrollen-Teig
25 g Butter, zerlassen
50 g dünne Eiernudeln
Öl, zum Frittieren

1 Mit einem scharfen Messer jede Garnele an der Oberseite leicht einschneiden und flach drücken.

2 Erdnussbutter und Chilisauce in einer kleinen Schale vermengen. Mischung über die Garnelen verteilen.

3 Teigblätter halbieren und mit zerlassener Butter bepinseln.

4 Jede Garnele in eine Teighälfte wickeln und die Ränder so einschlagen, dass die Garnele rundherum in Teig gehüllt ist.

5 Eiernudeln in eine Schüssel geben, mit kochendem Wasser übergießen und 5 Minuten ruhen lassen. Dann die Nudeln gründlich abtropfen. 20–30 gegarte Nudeln zum Verschnüren der Teigtaschen beiseite legen.

6 Öl in einen vorgewärmten Wok geben und die Taschen darin 3–4 Minuten knusprig braten.

7 Garnelentaschen mit einem Schaumlöffel herausheben und zum Abtropfen auf Küchenpapier legen. Auf einer Platte anrichten und warm servieren.

TIPP

Nicht aufgebrauchten Teig verschlossen aufbewahren, weil er leicht austrocknet und brüchig wird.

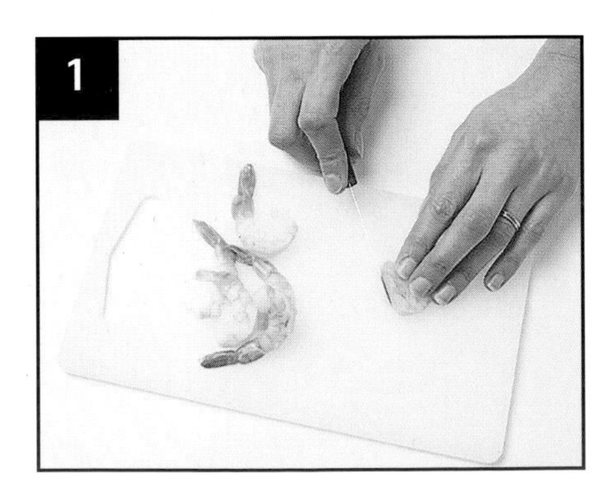

Garnelenpäckchen

Die Garnelenfüllung für diese schnell zubereitete und delikate Vorspeise wird mit Limettenschale und frischem Koriander gewürzt.

Für 4 Personen

ZUTATEN

1 EL Sonnenblumenöl
1 rote Paprika, entkernt und in sehr schmale Streifen geschnitten
75 g Bohnensprossen
feine Zesten und Saft von 1 Limette
1 scharfe rote Chilischote, entkernt und sehr fein gehackt
1-cm-Stück Ingwer, geschält und geraspelt
225 g Garnelen, ausgelöst
1 EL Fischsauce
½ TL Pfeilwurzelstärke
2 EL frisch gehackter Koriander
8 Blätter Frühlingsrollen-Teig
25 g Butter
2 TL Sesamöl
Öl, zum Frittieren
Frühlingszwiebeln, zum Garnieren
Chilisauce, zum Servieren

1 Sonnenblumenöl in einen Wok geben. Paprika und Bohnensprossen zufügen und 2 Minuten pfannenrühren.

2 Wok vom Herd nehmen, Limettenzesten und -saft, Chilischote, Ingwer und Garnelen zugeben und pfannenrühren.

3 Fischsauce mit Pfeilwurzelstärke verrühren. Diese Mischung in den Wok gießen und verrühren. Dann den Wok wieder auf den Herd stellen und die Flüssigkeit unter ständigem Rühren 2 Minuten eindicken lassen. Koriander zufügen und alles mischen.

4 Teigblätter auf ein Küchenbrett legen. Butter zerlassen, mit Sesamöl mischen und jedes Teigblatt damit bepinseln.

5 Einen Löffel Garnelenmasse auf jedes Teigblatt geben, die beiden Enden nach innen klappen und den Teig zusammenrollen.

6 Öl in einem großen Wok erhitzen. Päckchen in mehreren Portionen 2–3 Minuten knusprig und goldbraun braten. Mit Frühlingszwiebeln garnieren und heiß mit Chilisauce servieren.

TIPP

Bei vorgegarten Garnelen müssen Sie die Garzeit auf 1 Minute reduzieren, sonst werden sie zäh.

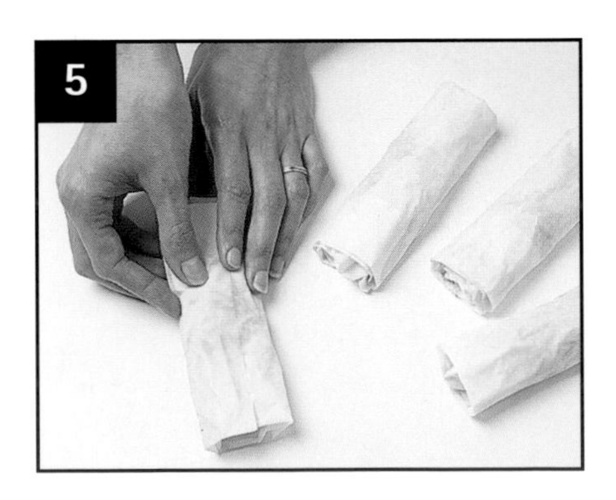

Chinesischer Salat mit Garnelen

Nudeln und Bohnensprossen bilden die Grundlage für diesen erfrischenden Salat, der durch Früchte und Garnelen geschmacklich bereichert wird.

Für 4 Personen

ZUTATEN

250 g feine Eiernudeln
3 EL Sonnenblumenöl
1 EL Sesamöl
1 EL Sesamsaat
150 g Bohnensprossen
1 reife Mango, in Scheiben
6 Frühlingszwiebeln, in Ringen
75 g Rettich, in Scheiben
350 g gegarte Garnelen, ausgelöst
2 EL helle Sojasauce
1 EL Sherry

1 Eiernudeln in eine große Schüssel geben und mit kochendem Wasser bedecken. 10 Minuten ruhen lassen.

2 Nudeln gut abtropfen lassen und mit Küchenpapier vollständig trockentupfen.

3 Sonnenblumenöl in einem großen Wok erhitzen. Nudeln zufügen und unter ständigem Rühren 5 Minuten braten.

4 Wok vom Herd nehmen, Sesamöl, Sesamsaat und Bohnensprossen zufügen und alles gut vermengen.

5 Mango, Frühlingszwiebeln, Rettich, Garnelen, Sojasauce und Sherry in eine separate Schüssel geben und vermengen.

6 Zum Servieren die Garnelenmischung entweder mit den Nudeln verrühren oder die Nudeln am Rand des Tellers anordnen und die Garnelenmischung in die Mitte geben. Sofort servieren.

VARIATION

Frische Mango können Sie auch durch abgetropfte Mangostücke aus der Dose ersetzen.

Garnelen-Toast mit Sesamkruste

Die schnell und leicht zuzubereitenden Toasts sind eine sehr beliebte Vorspeise in chinesischen Restaurants. Servieren Sie sie bei Ihrer nächsten Einladung Ihren Gästen.

Für 4 Personen

ZUTATEN

4 mittelgroße dicke Weißbrotscheiben
225 g gegarte Garnelen, ausgelöst
1 EL Sojasauce
2 Knoblauchzehen, zerdrückt
1 EL Sesamöl
1 Ei
25 g Sesamsaat
Öl, zum Frittieren
süße Chilisauce, zum Servieren

1 Eventuell Brotkrusten abschneiden und Brotscheiben beiseite stellen.

2 Garnelen, Sojasauce, Knoblauch, Sesamöl und Ei in der Küchenmaschine zu einer geschmeidigen Paste verarbeiten.

3 Die Brotscheiben mit Garnelenpaste bestreichen.

4 Dick mit Sesamsaat bestreuen und die Sesamschicht mit der Handfläche behutsam andrücken.

5 Jede Brotscheibe erst halbieren und dann noch einmal diagonal durchschneiden, um 4 Dreiecke zu erhalten.

6 Öl in einen großen Wok geben und die Brotecken mit der Sesamkruste nach oben 4-5 Minuten goldbraun braten.

7 Toastecken mit dem Schaumlöffel herausnehmen und zum Abtropfen auf Küchenpapier legen.

8 Die fertigen Toasts warm servieren. Zum Dippen süße Chilisauce reichen.

VARIATION

Wenn Sie der Garnelenpaste 2 gehackte Frühlingszwiebeln zufügen, werden die Toasts noch knuspriger.

2

3

4

Garnelenomelett mit Pilzen

Das Omelett heißt in China Foo Yung. *Sie können hierzu alle Zutaten verwenden, die Sie gerade zur Hand haben, und ganz nach Belieben würzen.*

Für 4 Personen

ZUTATEN

3 EL Sonnenblumenöl
2 Lauchstangen, in Ringe geschnitten
350 g rohe Riesengarnelen
25 g Speisestärke
1 TL Salz
175 g Pilze, in Scheiben geschnitten
175 g Bohnensprossen
6 Eier
frittierte Lauchstreifen, zum Garnieren

1 Sonnenblumenöl in einem vorgewärmten Wok erhitzen. Lauchringe hineingeben und 3 Minuten braten.

2 Garnelen unter fließendem Wasser säubern. Dann mit Küchenpapier trockentupfen.

3 Speisestärke und Salz in eine große Schüssel geben und vermengen.

4 Garnelen in der gesalzenen Speisestärke wenden.

5 Garnelen in den Wok geben und 2 Minuten braten, bis sie fast gar sind.

6 Pilze und Sprossen zugeben und 2 Minuten weiterrühren.

7 Eier mit 3 Esslöffeln kaltem Wasser verquirlen. Eiermischung in den Wok gießen und unter einmaligem, behutsamem Wenden zum Omelett stocken lassen. Das fertige Omelett auf ein sauberes Küchenbrett legen, in 4 Stücke schneiden und nach Belieben mit Lauchstreifen garnieren. Heiß servieren.

VARIATION

Eiermischung nach Schritt 6 portionsweise zu 4 kleinen Omeletts verarbeiten.

4

5

6

Garnelen mit Pfefferkörnern

Szechuan-Pfefferkörner sind sehr scharf und verleihen dem Gericht viel Würze sowie die charakteristische rote Farbe. Der Zucker mildert die Schärfe ein wenig.

Für 4 Personen

ZUTATEN

2 TL grobes Meersalz
1 TL schwarze Pfefferkörner
2 TL Szechuan-Pfefferkörner
1 TL Zucker
450 g rohe Garnelen, ausgelöst
2 EL Erdnussöl
1 rote Chilischote, entkernt und fein gehackt
1 TL frisch geraspelter Ingwer
3 Knoblauchzehen, zerdrückt
Frühlingszwiebeln, in Ringen, zum Garnieren
Krupuk, zum Servieren

1 Salz, schwarze und Szechuan-Pfefferkörner im Mörser zerstoßen. Mit Zucker vermengen und beiseite stellen.

2 Garnelen unter fließendem Wasser abspülen und mit Küchenpapier trockentupfen.

3 Öl in einem vorgewärmten Wok erhitzen. Garnelen, Chili, Ingwer und Knoblauch hineingeben und 4–5 Minuten unter Rühren braten, bis die Garnelen gar sind.

4 Pfeffer-Salz-Mischung in den Wok geben und 1 Minute weiterrühren.

5 Auf vorgewärmte Schalen verteilen und mit Frühlingszwiebeln garnieren. Heiß servieren. Krupuk als Beilage reichen.

TIPP

Die Körner des wild wachsenden rötlichen Szechuan-Pfeffers aus der gleichnamigen chinesischen Region machen das Gericht noch aromatischer.

TIPP

Riesengarnelen sind überall erhältlich. Sie sind schön bunt, sehr fleischig und schmecken vorzüglich. Vorgegarte Garnelen sollte man aber erst mit der Salz-Pfeffer-Mischung in Schritt 4 zugeben – sonst werden sie zäh und ungenießbar.

1

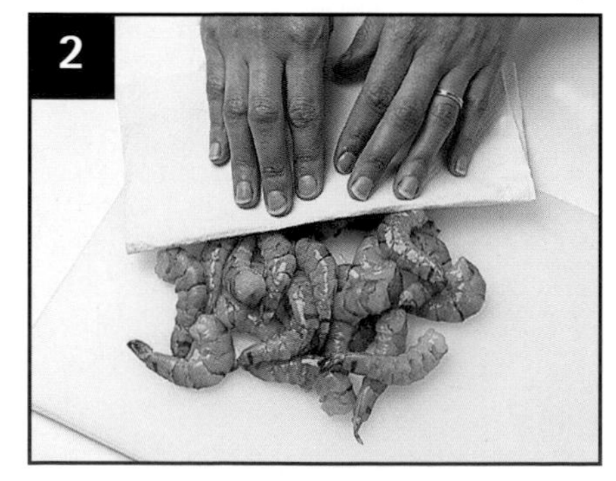

2

3

Fleisch & Geflügel

Da Fleisch in Asien recht teuer ist, wird es in kleinen Portionen verarbeitet. Die Zubereitung ist umso kunstvoller – mariniert oder gewürzt und mit köstlichen heimischen Zutaten gemischt werden daraus viele vorzügliche Gerichte gezaubert.

In Malaysia spiegelt sich die ethnische Bevölkerungsvielfalt in dem reichen Spektrum an pikant gewürzten Fleischgerichten. Huhn ist das typische Geflügel der malaysischen Küche – mariniert, gegrillt, im Wok gebraten lassen sich daraus köstliche Currys und Eintopfgerichte herstellen.

In China werden Geflügel, Lamm, Rind und Schwein im Wok gerührt oder gedünstet und mit Saucen und Würzpasten wie Soja-, Schwarzbohnen- und Austernsauce kombiniert. In Japan, wo man noch weniger Fleisch verzehrt, wird dieses meist mariniert und kurz im Wok gebraten oder langsam bei niedriger Hitze in Misobrühe gegart.

In der Thai-Küche wird Fleisch auf ähnliche Weise zubereitet, nur ist es hier in der Regel magerer und schmackhafter.

Gebratenes Ingwerhuhn

Die Orangen verleihen dem Gericht Farbe und einen erfrischenden Geschmack. Sie passen ausgezeichnet zum Hühnerfleisch.

Für 4 Personen

ZUTATEN

2 EL Sonnenblumenöl
1 Zwiebel, in Ringen
175 g Möhren, in dünne Stifte geschnitten
1 Knoblauchzehe, zerdrückt
350 g Hühnerbrustfilet
2 EL frisch geraspelter Ingwer
1 TL Ingwerpulver
4 EL süßer Sherry
1 EL Tomatenmark
1 EL brauner oder Farin-Zucker
100 ml Orangensaft
1 TL Speisestärke
1 Orange, geschält und in Spalten zerteilt
frisch gehackter Schnittlauch, zum Garnieren

1 Öl in einem großen, vorgewärmten Wok erhitzen. Zwiebel, Möhren und Knoblauch hineingeben und bei starker Hitze unter ständigem Rühren 3 Minuten garen.

2 Hühnerbrustfilet mit einem scharfen Messer in schmale Streifen schneiden. Fleisch, frischen Ingwer und Ingwerpulver in den Wok geben. 10 Minuten weiterrühren, bis das Hühnerfleisch innen gar und außen goldbraun ist.

3 Sherry, Tomatenmark, Zucker, Orangensaft und Speisestärke in einer Schüssel vermengen. Die Mischung ebenfalls in den Wok geben, unterrühren und alles erneut erhitzen, bis die Flüssigkeit aufkocht und eindickt.

4 Die Orangenspalten zufügen und behutsam unterheben.

5 Das fertige Gericht auf vorgewärmte Schalen verteilen, mit Schnittlauch garnieren und sofort servieren.

TIPP

Damit die Orangenspalten nicht zerfallen, werden sie erst am Ende des Kochvorgangs zugegeben.

1

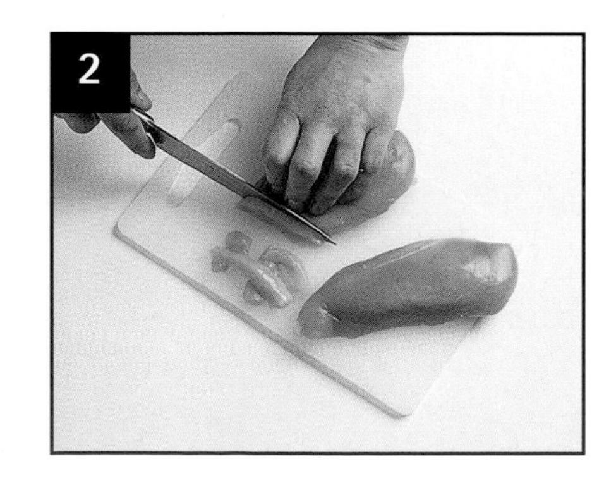

Huhn mit grünem Gemüse

Gelbe Bohnenpaste wird aus gelben Sojabohnen hergestellt. Sie ist in asiatischen Lebensmittelläden als glatte Paste oder als Paste mit grob gehackten Bohnen erhältlich.

Für 4 Personen

ZUTATEN

2 EL Sonnenblumenöl
450 g Hühnerbrustfilet
2 Knoblauchzehen, zerdrückt
1 grüne Paprika
100 g Zuckererbsen
6 Frühlingszwiebeln, in Ringen
225 g Kohlblätter, in Streifen
160 g gelbe Bohnenpaste (ersatzweise helles Miso)
50 g Cashewkerne, geröstet
zusätzliche Frühlingszwiebeln, zum Garnieren

1 Sonnenblumenöl in einem vorgewärmten Wok erhitzen.

2 Hühnerbrustfilet mit einem scharfen Messer in schmale Streifen schneiden.

3 Hühnerfleisch und Knoblauch in den Wok geben. 5 Minuten pfannenrühren, bis die Fleischstreifen rundherum kross und goldbraun gebraten sind.

4 Die Paprika entkernen und in schmale Streifen schneiden.

5 Zuckererbsen, Frühlingszwiebeln, Paprikastreifen und Kohlblätter in den Wok geben. 5 Minuten weiterrühren, bis das Gemüse bissfest ist.

6 Dann die Bohnenpaste unterrühren und etwa 2 Minuten bis zum Aufkochen mitgaren.

7 Geröstete Cashewkerne darüber streuen.

8 Alle Zutaten auf Tellern anrichten und nach Belieben mit zusätzlichen Frühlingszwiebeln garnieren. Sofort servieren.

TIPP

Gesalzene Cashewkerne sind wegen des Salzgehalts der gelben Bohnenpaste nicht zu empfehlen.

3

Huhn mit Paprika und Orangen

Hühnerschenkel sind nicht so zart wie Hühnerbrust. Zum Braten im Wok sind Hühnerschenkel jedoch vorzüglich geeignet.

Für 4 Personen

ZUTATEN

- 3 EL Sonnenblumenöl
- 350 g Hühnerschenkel, enthäutet, entbeint und in schmale Streifen geschnitten
- 1 Zwiebel, in Ringen
- 1 Knoblauchzehe, zerdrückt
- 1 rote Paprika, entkernt und in Streifen geschnitten
- 75 g Zuckererbsen
- 4 EL helle Sojasauce
- 4 EL Sherry
- 1 EL Tomatenmark
- fein geriebene Schale und Saft von 1 Orange
- 1 TL Speisestärke
- 2 Orangen
- 100 g Bohnensprossen
- Nudeln oder Reis, zum Servieren

1 Sonnenblumenöl in einem großen, vorgewärmten Wok erhitzen.

2 Hühnerfleisch in den Wok geben und unter ständigem Rühren 2–3 Minuten von allen Seiten anbraten.

3 Zwiebel, Knoblauch, Paprika und Zuckererbsen in den Wok geben. Die Mischung weitere 5 Minuten rühren, bis das Gemüse knackig und das Fleisch innen gar ist.

4 Sojasauce, Sherry, Tomatenmark, Orangenschale und -saft mit der Speisestärke mischen.

5 Mischung in den Wok gießen und ständig rühren, bis die Flüssigkeit einzudicken beginnt.

6 Orangen mit einem scharfen Messer schälen und in Spalten teilen.

7 Orangenspalten und Bohnensprossen in den Wok geben und 2 Minuten mit erhitzen.

8 Das fertige Gericht auf Teller verteilen und sofort mit Nudeln oder Reis servieren.

TIPP

Bei den in der chinesischen Küche sehr beliebten Bohnensprossen handelt es sich um Mungbohnenkeime. Sie werden nur angegart oder auch roh verzehrt.

2

4

6

Kokos-Hühner-Curry

Okraschoten haben einen leicht bitteren Geschmack. Die Kokoscreme und die Ananas mildern diesen Geschmack ab und geben dem Gericht ein schöne Farbe.

Für 4 Personen

ZUTATEN

2 EL Sonnenblumenöl oder 25 g Ghee (Butterschmalz)
450 g Hühnerfleisch ohne Knochen (Brust oder Keule)
150 g Okraschoten
1 große Zwiebel, in Ringen
2 Knoblauchzehen, zerdrückt
3 EL milde Currypaste
300 ml Hühnerbrühe
1 EL frischer Limettensaft
100 g Kokoscreme
175 g Ananas, gewürfelt, frisch oder aus der Dose
150 g Naturjoghurt
2 EL frisch gehackter Koriander
Reis, zum Servieren

GARNIERUNG:
Zitronenspalten
frische Korianderzweige

1 Sonnenblumenöl oder Ghee in einem großen, vorgewärmten Wok erhitzen.

2 Hühnerfleisch mit einem scharfen Messer in mundgerechte Stücke schneiden. Fleischwürfel in den Wok geben und unter häufigem Rühren gleichmäßig bräunen.

3 Okraschoten mit einem scharfen Messer putzen.

4 Zwiebel, Knoblauch und Okraschoten in den Wok geben und 2–3 Minuten unter ständigem Rühren mitgaren.

5 Currypaste mit Hühnerbrühe und Limettensaft verrühren. Die Mischung in den Wok gießen, aufkochen lassen, zudecken und 30 Minuten köcheln lassen.

6 Kokoscreme einrühren und ca. 5 Minuten mitgaren – dadurch wird die Sauce sämig.

7 Ananas, Joghurt und Koriander zufügen und 2 Minuten unter ständigem Rühren erhitzen.

8 Garnieren und mit Reis servieren.

TIPP

Okras mit einem Messer an der Spitze einritzen, damit sie vor dem Garen ihren bitteren Saft verlieren.

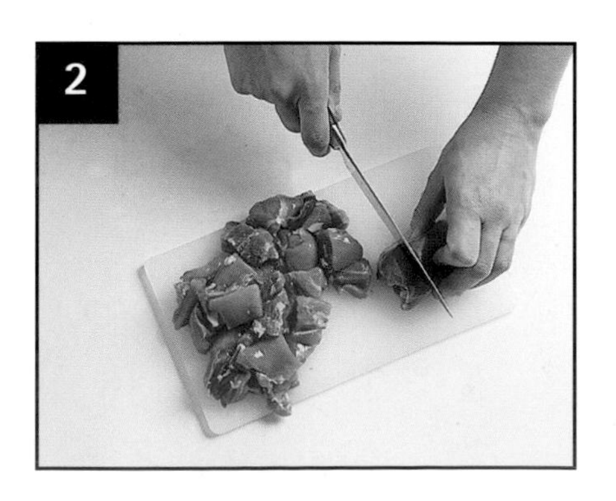
2

3

5

Süß-saures Mangohuhn

Die Mango verleiht diesem Gericht eine süßliche Note und einen herrlichen Duft.

Für 4 Personen

ZUTATEN

1 EL Sonnenblumenöl
6 Hühnerschenkel, ausgelöst und enthäutet
1 reife Mango
2 Knoblauchzehen, zerdrückt
225 g Lauch, in Ringen
100 g Bohnensprossen
150 ml Mangosaft
1 EL Weißweinessig
2 EL klarer Honig
2 EL Tomatenketchup
1 TL Speisestärke

1 Sonnenblumenöl in einem großen, vorgewärmten Wok erhitzen.

2 Hühnerfleisch mit einem scharfen Messer in mundgerechte Würfel schneiden.

3 Fleischwürfel in den Wok geben und bei starker Hitze 10 Minuten braten, bis sie innen gar und außen goldbraun sind. Fleischwürfel dabei häufig wenden.

4 Die Mango schälen und in Stücke schneiden.

5 Die Mangostücke mit Knoblauch, Lauch und Bohnensprossen in den Wok geben und alles unter Rühren 2–3 Minuten mitgaren.

6 Mangosaft, Weißweinessig, Honig und Ketchup mit der Speisestärke vermengen.

7 Die Wein-Honig-Mischung in den Wok gießen und 2 Minuten mitgaren, bis die Flüssigkeit einzudicken beginnt.

8 Das fertige Gericht in einer Servierschüssel auftragen.

TIPP

Der sämige, süße Mangosaft ist im Supermarkt erhältlich. Ersatzweise eine reife Mango pürieren, den Saft abseihen und mit Wasser auf die benötigte Menge strecken.

2

4

6

Hühnerpfanne mit Kreuzkümmel und dreierlei Paprika

Kreuzkümmelsamen sind bekannter aus der indischen Küche, werden aber auch für chinesische Gerichte verwendet. Statt der Samen können Sie auch gemahlenen Kreuzkümmel verwenden.

Für 4 Personen

ZUTATEN

450 g Hühnerbrustfilet
2 EL Sonnenblumenöl
1 Knoblauchzehe, zerdrückt
1 EL Kreuzkümmelsamen
1 EL frisch geraspelter Ingwer
1 rote Chilischote, entkernt und in Ringe geschnitten
1 rote Paprika, entkernt und in Streifen geschnitten
1 grüne Paprika, entkernt und in Streifen geschnitten
1 gelbe Paprika, entkernt und in Streifen geschnitten
100 g Bohnensprossen
350 g Pak Choi oder andere grüne Salatblätter
2 EL süße Chilisauce
3 EL helle Sojasauce
Ingwerchips, zum Garnieren (siehe Tipp)

1 Hühnerbrustfilet in schmale Streifen schneiden.

2 Öl in einem großen, vorgewärmten Wok erhitzen.

3 Fleisch in den Wok geben und 5 Minuten unter Rühren braten.

4 Knoblauch, Kreuzkümmel, Ingwer und Chili zufügen und alles gut unterrühren.

5 Paprikaschoten in den Wok geben und 5 Minuten weiterrühren.

6 Bohnensprossen, Pak Choi, Chili- und Sojasauce zufügen und mitgaren, bis die Pak-Choi-Blätter zusammenfallen.

7 Das Gericht auf vorgewärmte Schalen verteilen und mit Ingwerchips garnieren.

TIPP

So werden Ingwerchips gemacht: Ein dickes Stück Ingwerwurzel schälen und in dünne Scheiben schneiden. Die Scheiben vorsichtig für ca. 30 Sekunden in heißes Öl tauchen. Frittierte Ingwerscheiben mit einem Schaumlöffel herausheben und auf Küchenpapier abtropfen lassen.

Huhn mit Zitrone und Sesam

Sesamsaat gibt dem Gericht einen nussigen Geschmack und eignet sich hier ideal zum Panieren der Hühnerfleischstreifen.

Für 4 Personen

ZUTATEN

4 Hühnerbrustfilets
1 Eiweiß
25 g Sesamsaat
2 EL Öl
1 Zwiebel, in Ringen
1 EL brauner oder Farin-Zucker
Zesten und Saft von 1 Zitrone
3 EL Lemon Curd
200 g Wasserkastanien
Zitronenschale, zum Garnieren

1 Hühnerbrustfilets in Frischhaltefolie wickeln und mit einem Nudelholz flach klopfen. Dann in schmale Streifen schneiden.

2 Eiweiß zu Schnee schlagen.

3 Fleischstreifen in den Eischnee tauchen und danach in Sesamsaat wenden.

4 Öl in einem großen, vorgewärmten Wok erhitzen.

5 Zwiebelringe in den Wok geben und 2 Minuten rühren, bis sie gar, aber noch bissfest sind.

6 Fleischstreifen mit Sesamkruste in den Wok geben und 5 Minuten weiterrühren, bis sie außen gebräunt sind.

7 Zucker, Zitronenzesten und -saft sowie Lemon Curd verrühren und die Mischung in den Wok gießen. Einen Moment warten, bis die Flüssigkeit aufkocht.

8 Wasserkastanien abtropfen lassen, in dünne Scheiben schneiden und 2 Minuten im Wok mitgaren. Zum Schluss alles in Schalen füllen, mit Zitronenschale garnieren und heiß servieren.

TIPP

Lemon Curd, eine englische Spezialität aus Butter, Zucker, Limettensaft und Eiern, ist bei uns in Delikatessenläden erhältlich.

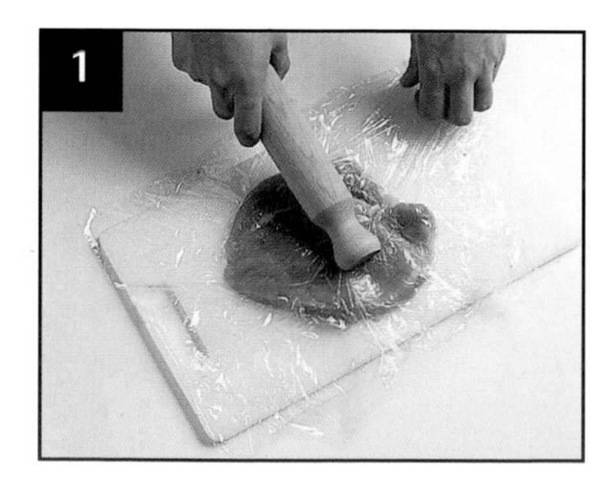

3

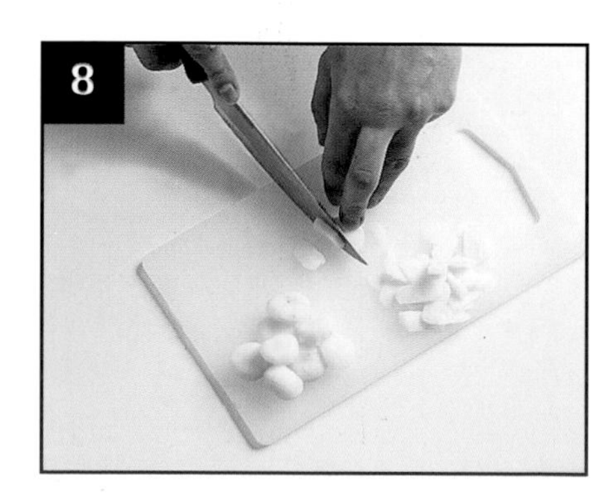

Rotes Huhn mit Kirschtomaten nach Thai-Art

Dies ist ein sehr farbenfrohes Gericht. Das Rot der Tomaten passt perfekt zu den orangefarbenen Süßkartoffeln.

Für 4 Personen

ZUTATEN

1 EL Sonnenblumenöl
450 g Hühnerbrustfilet
2 Knoblauchzehen, zerdrückt
2 EL rote Currypaste
2 EL frisch geriebener Galgant (ersatzweise Ingwer)
1 EL Tamarindenpaste
4 Limettenblätter
225 g Süßkartoffeln, gewürfelt
600 ml Kokosmilch
225 g Kirschtomaten, halbiert
3 EL frisch gehackter Koriander
thailändischer Duftreis (Jasminreis), zum Servieren

1 Sonnenblumenöl in einem vorgewärmten Wok erhitzen.

2 Hühnerbrustfilet in schmale Streifen schneiden und 5 Minuten im Wok braten.

3 Knoblauch, Currypaste, Galgant, Tamarindenpaste und Limettenblätter in den Wok geben und 1 Minute rühren.

4 Süßkartoffeln schälen und würfeln.

5 Kokosmilch und Süßkartoffeln in den Wok geben und aufkochen. Dann bei mittlerer Hitze die Flüssigkeit 20 Minuten eindicken.

6 Kirschtomaten und Koriander zum Curry geben und dieses 5 Minuten unter häufigem Rühren fertig garen. Auf Teller verteilen und heiß servieren. Dazu thailändischen Duftreis (Jasminreis) reichen.

TIPP

Galgant ist dem Ingwer sehr ähnlich, den er in der thailändischen Küche ersetzt. Er ist in asiatischen Lebensmittelläden frisch, getrocknet und als Pulver erhältlich. Frischer Galgant, der nicht ganz so scharf ist wie Ingwer, wird vor dem Zerkleinern geschält.

Pfefferhuhn mit Zuckererbsen

Durch verschiedenfarbige Pfefferkörner erhält dieses Gericht ein sehr buntes Erscheinungsbild. Zerkleinern Sie die Pfefferkörner nur grob mit Mörser und Stößel.

Für 4 Personen

ZUTATEN

2 EL Tomatenketchup
2 EL Sojasauce
450 g Hühnerbrustfilet
2 EL bunte Pfefferkörner, zerstoßen
2 EL Sonnenblumenöl
1 rote Paprika
1 grüne Paprika
175 g Zuckererbsen
2 EL Austernsauce

1 Tomatenketchup und Sojasauce verrühren.

2 Hühnerbrustfilet in schmale Streifen schneiden und in der Ketchup-Soja-Mischung wenden.

3 Pfefferkörner auf einen Teller geben. Die mit Sauce überzogenen Fleischstreifen in den Pfefferkörnern wenden, bis sie rundum bedeckt sind.

4 Sonnenblumenöl in einem vorgewärmten Wok erhitzen.

5 Fleischstreifen 5 Minuten im Wok braten.

6 Paprika entkernen und in Streifen schneiden.

7 Paprika und Zuckererbsen in den Wok geben und 5 Minuten weiterrühren.

8 Austernsauce zugießen und 2 Minuten köcheln lassen. Auf Schalen verteilen und sofort servieren.

VARIATION

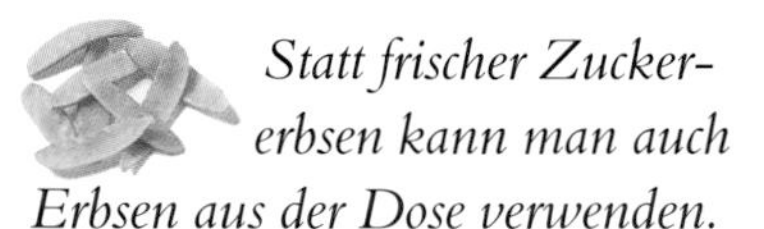

Statt frischer Zuckererbsen kann man auch Erbsen aus der Dose verwenden.

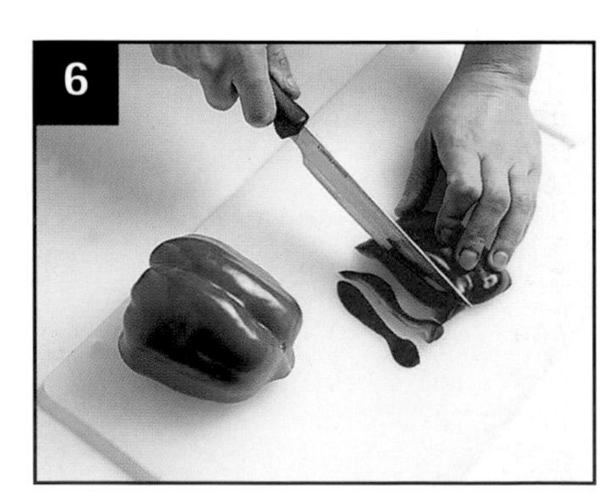

Huhn mit Honig, Soja und Bohnensprossen

Honig wird chinesischen Gerichten häufig zugegeben, um eine süßliche Note zu erzielen. Er harmoniert perfekt mit dem salzigen Geschmack der Sojasauce.

Für 4 Personen

ZUTATEN

2 EL klarer Honig
3 EL helle Sojasauce
1 TL Fünf-Gewürze-Pulver
1 EL süßer Sherry
1 Knoblauchzehe, zerdrückt
8 Hühnerschenkel
1 EL Sonnenblumenöl
1 rote Chilischote
100 g Babymaiskolben, halbiert
8 Frühlingszwiebeln, in Ringen
150 g Bohnensprossen

1 Honig, Sojasauce, Fünf-Gewürze-Pulver, Sherry und Knoblauch in einer großen Schale vermengen.

2 Hühnerschenkel jeweils dreimal einschneiden. Dann in der Honig-Soja-Marinade wenden, die Schüssel abdecken und das Fleisch mindestens 30 Minuten marinieren.

3 Öl in einem großen, vorgewärmten Wok erhitzen.

4 Hühnerschenkel in den Wok legen, die Hitze erhöhen und die Schenkel 12–15 Minuten knusprig braun braten. Dann mit einem Schaumlöffel aus dem Wok nehmen.

5 Chili entkernen und sehr fein zerhacken.

6 Chili, Mais, Frühlingszwiebeln und Bohnensprossen in den Wok geben und 5 Minuten rühren.

7 Hühnerschenkel wieder in den Wok geben, alles gut vermengen und noch einmal erhitzen.

8 Das fertige Gericht auf Teller verteilen und sofort servieren.

TIPP

Das aromatische Fünf-Gewürze-Pulver ist in großen Supermärkten erhältlich.

1

2

5

Huhn mit Cashewkernen und Bohnenpaste

Hühnerfleisch und Cashewkerne scheinen füreinander geschaffen zu sein. Sie harmonieren wunderbar, wie auch in diesem schnellen und köstlichen Gericht.

Für 4 Personen

ZUTATEN

450 g Hühnerbrustfilet
2 EL Öl
1 rote Zwiebel, in Ringe geschnitten
175 g Speisepilze mit abgeflachten Hüten, in Scheiben geschnitten
100 g Cashewkerne
75 g gelbe Bohnenpaste
frischer Koriander, zum Garnieren
gebratener Eierreis oder gekochter Reis, zum Servieren

1 Hühnerbrustfilet in kleine, mundgerechte Stücke schneiden.

2 Öl in einem vorgewärmten Wok erhitzen.

3 Hühnerfleisch in den Wok geben und 5 Minuten pfannenrühren.

4 Zwiebel und Pilze in den Wok geben und 5 Minuten weiterrühren.

5 Cashewkerne auf ein Backblech geben und bei mittlerer Hitze unter dem Grill goldbraun rösten, damit sie ihr Aroma entfalten können.

6 Geröstete Cashewkerne in den Wok geben, Bohnenpaste zufügen und alles 2–3 Minuten köcheln lassen.

7 Das fertige Gericht auf vorgewärmte Schalen verteilen und mit frischem Koriander garnieren. Dazu Eierreis oder einfachen Reis servieren.

TIPP

Sie können Hühnerbrust auch durch Hühnerschenkel ersetzen.

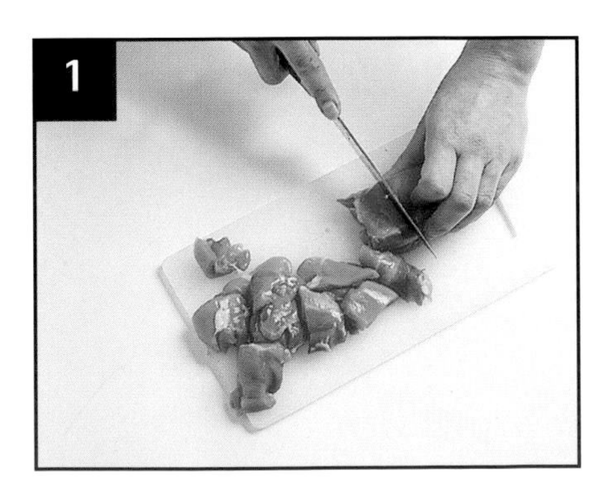

Huhn mit Chili und frittierten Basilikumblättern

Ein raffiniertes Geflügelgericht, das seinen exzellenten Geschmack durch frische Basilikumblätter, die frittiert werden, erhält.

Für 4 Personen

ZUTATEN

8 Hühnerschenkel
2 EL Sojasauce
1 EL Sonnenblumenöl
1 rote Chilischote
100 g Möhren, in dünne Stifte geschnitten
6 Selleriestangen, in Stifte geschnitten
3 EL süße Chilisauce
Öl, zum Frittieren
ca. 50 frische Basilikumblätter

1 Nach Wunsch die Hühnerschenkel enthäuten. Jede Keule dreimal einkerben und mit Sojasauce bestreichen.

2 Öl in einem vorgewärmten Wok erhitzen, Hühnerschenkel darin unter häufigem Rühren 20 Minuten gar braten.

3 Chilischote entkernen und fein hacken. Chili, Möhren- und Selleriestifte in den Wok geben und 5 Minuten mitgaren. Chilisauce einrühren und alles zugedeckt weitergaren.

4 Unterdessen die Basilikumblätter vorbereiten. Dazu etwas Öl in einer Pfanne erhitzen. Die Basilikumblätter hineingeben – dabei wegen der Spritzgefahr einen Sicherheitsabstand halten und die Hand in ein Küchentuch wickeln. Ca. 30 Sekunden frittieren, die Blätter sollen sich wellen, ohne braun zu werden. Dann auf Küchenpapier abtropfen lassen.

5 Den Inhalt des Woks auf einer Platte anrichten und mit den Basilikumblättern garnieren.

TIPP

Das Basilikumaroma harmoniert sehr gut mit Huhn und chinesischen Gewürzen. Man kann aber auch junge Spinatblätter verwenden.

1

1

3

Knoblauchhuhn mit Koriander und Limetten

Knoblauchbutter, verfeinert mit Koriander, verleiht diesem Gericht einen vorzüglichen Geschmack und sorgt dafür, dass das Hühnerfleisch wunderbar saftig bleibt.

Für 4 Personen

ZUTATEN

4 große Hühnerbrustfilets
50 g weiche Knoblauchbutter
3 EL frisch gehackter Koriander
1 EL Sonnenblumenöl
fein geriebene Schale und Saft von 2 Limetten
25 g Palm- oder Farin-Zucker
zusätzlicher Koriander, zum Garnieren

1 Hühnerbrustfilets einzeln in Frischhaltefolie wickeln und mit einem Nudelholz flach klopfen (ca. 1 cm dick).

2 Knoblauchbutter mit Koriander verrühren und die Fleischscheiben damit bestreichen. Dann aufrollen und mit Zahnstochern zusammenhalten.

3 Öl in einem Wok erhitzen. Fleischröllchen einlegen und 15–20 Minuten unter häufigem Wenden garen.

4 Fleischrollen aus dem Wok nehmen, auf ein Küchenbrett legen und in Scheiben schneiden.

5 Limettenschale, -saft und Zucker in den Wok geben und bei niedriger Hitze rühren, um den Zucker aufzulösen. Dann die Hitze erhöhen und alles 2 Minuten köcheln lassen.

6 Fleischscheiben auf vorgewärmten Tellern anrichten und den Pfannensud darüber verteilen. Nach Wunsch mit zusätzlichem Koriander garnieren.

TIPP

Eine niedrige Gartemperatur verhindert, dass das Fleisch außen anbrennt, während es innen noch roh ist.

2

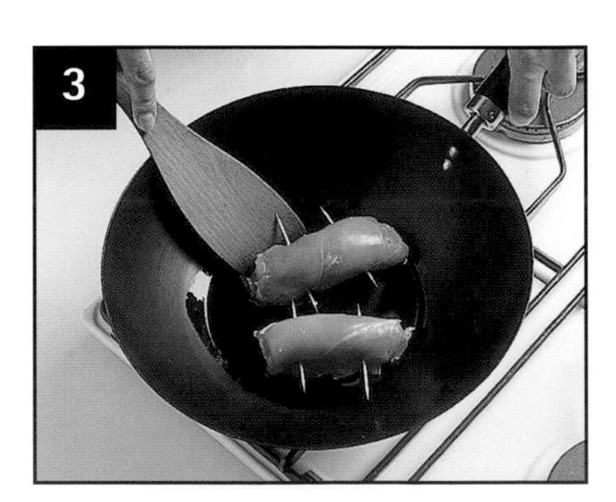

Huhn mit Kreuzkümmel und Auberginen

Hühnerfleisch, Auberginen und Tomaten sind eine klassische Kombination in der asiatischen Küche, die hier durch Joghurt und frische Minze bereichert wird.

Für 4 Personen

ZUTATEN

5 EL Sonnenblumenöl
2 Knoblauchzehen, zerdrückt
1 EL Kreuzkümmelsamen
1 EL mildes Currypulver
1 EL Paprikapulver

450 g Hühnerbrustfilet
1 große Aubergine, gewürfelt
4 Tomaten, in Viertel geschnitten
100 ml Hühnerbrühe
1 EL frischer Limettensaft

½ TL Salz
150 g Naturjoghurt
1 EL frisch gehackte Minze

1 2 Esslöffel Öl in einem großen Wok erhitzen.

2 Knoblauch, Kreuzkümmelsamen, Currypulver und Paprikapulver in den Wok geben und 1 Minute anrösten.

3 Hühnerfleisch in schmale Streifen schneiden.

4 Restliches Öl in den Wok geben und die Hühnerstreifen darin 5 Minuten braten.

5 Auberginenwürfel, Tomaten und Hühnerbrühe zufügen und aufkochen lassen. Hitze reduzieren und ca. 20 Minuten köcheln lassen.

6 Limettensaft, Salz und Joghurt zufügen und bei niedriger Hitze 5 Minuten mitgaren, dabei gelegentlich umrühren.

7 Mit Minze bestreuen und in Schalen füllen. Sofort servieren.

TIPP

Nachdem Sie den Joghurt zugegeben haben, darf die Sauce nicht mehr kochen, weil sie sonst gerinnt.

Hoisin-Ente mit Lauch und Kohl

Ente ist ein sehr geschmacksintensives Fleisch, das hier einen herrlichen Kontrast zu der säuerlichen Note der Orangenschale bildet.

Für 4 Personen

ZUTATEN

4 Entenbrüste
350 g Grünkohl
225 g Lauch, in Ringen
fein geriebene Schale von 1 Orange
6 EL Austernsauce
1 TL Sesamsaat, geröstet, zum Garnieren

1 Einen großen Wok erhitzen und das Entenfleisch mit Haut 5 Minuten von beiden Seiten im trockenen Wok anrösten (eventuell in 2 Portionen).

2 Entenbrüste herausnehmen und in dünne Scheiben schneiden.

3 Entenfett im Wok bis auf 1 Esslöffel abgießen.

4 Grünkohl in schmale Streifen schneiden.

5 Lauchringe, Grünkohl und Orangenschale in den Wok geben und 5 Minuten pfannenrühren.

6 Entenfleisch wieder in den Wok geben und 2–3 Minuten mitgaren.

7 Austernsauce über die Ente träufeln. Das Fleisch dabei häufiger wenden, damit es sich mit der Sauce verbindet und alles noch einmal gut erhitzen.

8 Mit Sesamsaat bestreuen und heiß servieren.

VARIATION

Nach Belieben den Grünkohl durch den milderen, süßeren Chinakohl ersetzen.

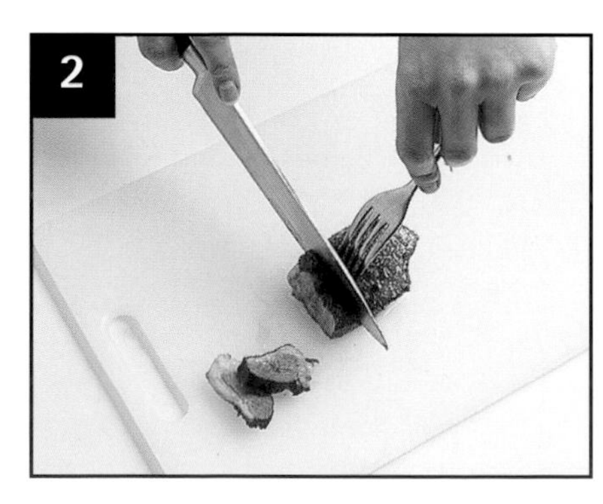

Ente mit Mais und Ananas

Ananas und Pflaumensauce verleihen diesem farbenfrohen Entengericht sowohl eine süßliche wie auch fruchtige Note.

Für 4 Personen

ZUTATEN

4 Entenbrüste
1 TL Fünf-Gewürze-Pulver
1 EL Speisestärke
1 EL Chili-Öl
225 g Zwiebeln, geschält
2 Knoblauchzehen, zerdrückt
100 g Babymaiskolben
175 g Ananasstücke aus der Dose
6 Frühlingszwiebeln, in Ringen
100 g Bohnensprossen
2 EL Pflaumensauce

1 Entenbrust vollständig häuten und in dünne Scheiben schneiden.

2 Fünf-Gewürze-Pulver und Speisestärke in einer großen Schüssel vermengen.

3 Fleischscheiben in der Gewürz-Stärke-Mischung wenden, bis sie rundum gut bedeckt sind.

4 Öl in einen vorgewärmten Wok geben. Das Fleisch darin 10 Minuten braten, bis es knusprig ist.

5 Das Fleisch herausnehmen und beiseite stellen.

6 Zwiebeln und Knoblauch in den Wok geben und 5 Minuten rühren, bis die Zwiebeln gar sind.

7 Mais in den Wok geben und 5 Minuten pfannenrühren.

8 Ananasstücke, Frühlingszwiebeln und Bohnensprossen zufügen und ca. 3–4 Minuten pfannenrühren. Dann die Pflaumensauce unterrühren.

9 Fleisch wieder in den Wok geben und unter häufigem Wenden mit den anderen Zutaten vermengen. Heiß servieren.

TIPP

Ananas im eigenen Saft ist erfrischender als Ananas in Sirup. Verwenden Sie diese, sollten Sie die Ananasstücke vor Gebrauch abspülen und dann gründlich trockentupfen.

Pute mit Preiselbeerglasur

Die Preiselbeerglasur bildet zusammen mit dem Ingwer einen wunderbaren Kontrast zu dem intensiven, schweren Geschmack des Putenfleischs.

Für 2–3 Personen

ZUTATEN

1 Putenbrust
2 EL Sonnenblumenöl
15 g Ingwer
50 g Preiselbeeren, frisch oder tiefgefroren
100 g Wasserkastanien aus der Dose
4 EL Preiselbeersauce
3 EL helle Sojasauce
Salz und Pfeffer

1 Putenbrust vollständig häuten und mit einem scharfen Messer in schmale Streifen schneiden.

2 Öl in einem großen, vorgewärmten Wok erhitzen.

3 Putenfleisch in den Wok geben und 5 Minuten pfannenrühren, bis es innen gar ist.

4 Ingwerwurzel mit einem scharfen Küchenmesser fein hacken.

5 Ingwer und Preiselbeeren in den Wok geben und 2–3 Minuten pfannenrühren, bis die Preiselbeeren gar sind.

6 Wasserkastanien, Preiselbeer- und Sojasauce zufügen, mit Salz und Pfeffer abschmecken und 2–3 Minuten köcheln lassen.

7 Auf vorgewärmte Schalen verteilen und sofort servieren.

TIPP

Wenn Sie sehr zartes und mageres Fleisch bevorzugen, ersetzen Sie die Putenbrust durch Putenschnitzel.

TIPP

Vor dem Pfannenrühren muss der Wok auf höchster Stufe erhitzt werden. Für die Temperaturprobe halten Sie eine Hand 8 cm über den Wok – spüren Sie die Hitze, hat er die richtige Temperatur.

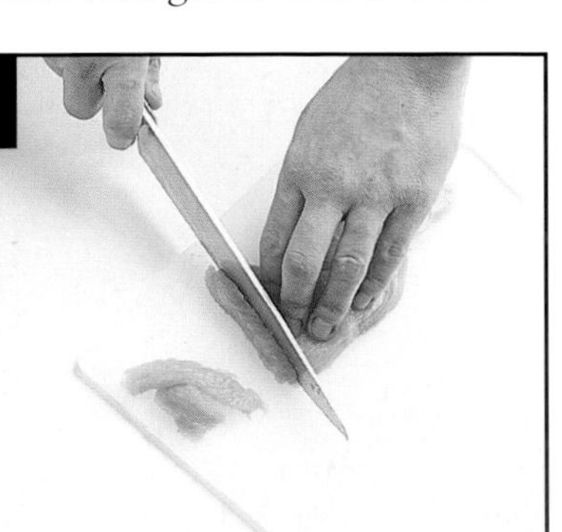

Rindfleisch mit Sherry und Sojasauce

Rinderfilet eignet sich hervorragend für Wokgerichte, da es schnell gar ist.

Für 4 Personen

ZUTATEN

2 EL Sonnenblumenöl
350 g Rinderfilet, in Streifen geschnitten
1 rote Zwiebel, in Ringen
175 g Zucchini
175 g Möhren, in dünne Scheiben geschnitten

1 rote Paprika, entkernt und in Streifen geschnitten
1 kleiner Chinakohl, in Streifen geschnitten
150 g Bohnensprossen
225 g Bambussprossen, abgetropft
150 g Cashewkerne, geröstet

SAUCE:
3 EL Sherry (medium)
3 EL helle Sojasauce
1 TL Ingwerpulver
1 Knoblauchzehe, zerdrückt
1 TL Speisestärke
1 EL Tomatenmark

1 Sonnenblumenöl in einem vorgewärmten Wok erhitzen.

2 Fleisch und Zwiebel in den Wok geben und 4–5 Minuten pfannenbraten, um die Zwiebel anzudünsten und das Fleisch anzubräunen.

3 Zucchini mit einem scharfen Messer putzen und schräg in Scheiben schneiden.

4 Möhren, Paprika und Zucchini zufügen und 5 Minuten pfannenrühren.

5 Chinakohl, Bohnensprossen und Bambussprossen zufügen und 2–3 Minuten mitgaren, bis die Blätter zusammenfallen. Dann Cashewkerne darüber streuen.

6 Für die Sauce Sherry, Sojasauce, Ingwerpulver, Knoblauch, Speisestärke und Tomatenmark verrühren. Sauce direkt über die Zutaten in der Pfanne gießen und alles durch mehrmaliges Wenden gut vermengen. Sauce 2–3 Minuten köcheln lassen, damit sie eindickt.

7 Auf vorgewärmte Schalen verteilen und sofort servieren.

Chili-Rindfleisch-Salat

In diesem Gericht werden viele klassische mexikanische Zutaten kombiniert, wie Avocado und Kidneybohnen.

Für 4 Personen

ZUTATEN

450 g mageres Rumpsteak
2 Knoblauchzehen, zerdrückt
1 TL Chilipulver
1/2 TL Salz
1 TL gemahlener Koriander
1 reife Avocado
30 ml Sonnenblumenöl
425 g rote Kidneybohnen aus der Dose, abgetropft
175 g Kirschtomaten, halbiert
1 Großpackung Tortilla-Chips
Eisbergsalat, in Streifen geschnitten
frisch gehackter Koriander, zum Garnieren

1 Rindfleisch mit einem scharfen Messer in schmale Streifen schneiden.

2 Knoblauch, Chilipulver, Salz und Koriander in eine große Schale geben und gut vermengen.

3 Rindfleischstreifen in die Marinade legen und von allen Seiten gleichmäßig darin wenden.

4 Avocado mit einem scharfen Messer schälen. Zuerst längs halbieren und dann in kleine Würfel schneiden.

5 Öl in einem großen, vorgewärmten Wok erhitzen. Rindfleisch zufügen und 5 Minuten unter häufigem Rühren anbraten.

6 Kidneybohnen, Tomaten und Avocado zufügen und 2 Minuten mitgaren.

7 Tortilla-Chips und Eisbergsalat am Rand eines großen Serviertellers anordnen und das Fleisch in die Mitte geben. Oder die Tortilla-Chips und den Eisbergsalat getrennt reichen.

8 Mit frischem Koriander garnieren und sofort servieren.

TIPP

Servieren Sie dieses Gericht sofort, weil das Avocadofleisch rasch nachdunkelt. Um das Verfärben zu vermeiden, können Sie das Fruchtfleisch mit Zitronensaft beträufeln.

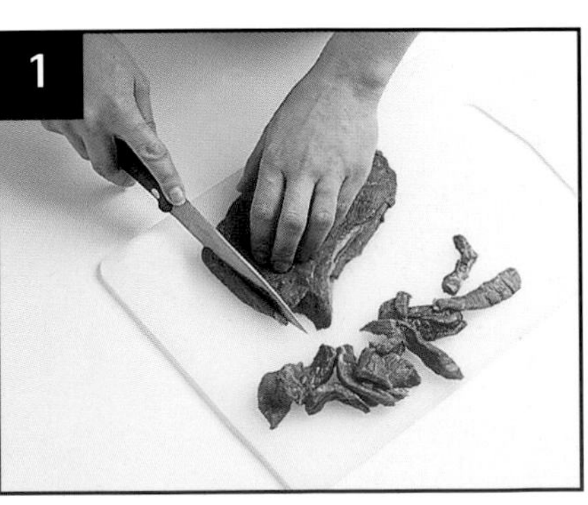
1

3

4

Rindfleisch mit Bambussprossen und Zuckererbsen

Zartes Rindfleisch, mariniert in Sojasauce und Tomatenketchup, wird in diesem einfachen Rezept mit Zuckererbsen und Bambussprossen im Wok gebraten.

Für 4 Personen

ZUTATEN

350 g Rumpsteak
3 EL dunkle Sojasauce
1 EL Tomatenketchup
2 Knoblauchzehen, zerdrückt
1 EL frischer Limettensaft
1 TL gemahlener Koriander
1 EL Öl
175 g Zuckererbsen
200 g Bambussprossen aus der Dose
1 TL Sesamöl

1 Fleisch mit einem scharfen Messer in schmale Streifen schneiden.

2 Fleisch in eine metallfreie Schüssel legen. Sojasauce, Tomatenketchup, Knoblauch, Limettensaft und Koriander zufügen. Die Fleischstücke gleichmäßig in der Marinade wenden, abdecken und mindestens 1 Stunde ruhen lassen.

3 Öl in einem vorgewärmten Wok erhitzen. Fleisch zugeben und 2–4 Minuten pfannenrühren, bis es gar ist.

4 Zuckererbsen und Bambussprossen zufügen, bei starker Hitze 5 Minuten mitgaren und dabei häufig wenden.

5 Mit Sesamöl beträufeln und die Zutaten immer wieder wenden, um alles gut zu mischen.

6 Auf Schalen verteilen und heiß servieren.

TIPP

Damit das Fleisch zart und aromatisch wird, muss es mindestens 1 Stunde marinieren, am besten noch etwas länger. Nur so kann es sein Aroma voll entfalten.

2

3

4

Rindfleisch mit Zwiebeln und Zucker

Der Palmzucker in diesem Rezept sorgt dafür, dass das Rindfleisch einen leichten Karamellgeschmack annimmt.

Für 4 Personen

ZUTATEN

450 g Rinderfilet
2 EL Sojasauce
1 TL Chili-Öl
1 EL Tamarindenpaste
2 EL Palmzucker oder brauner Zucker
2 Knoblauchzehen, zerdrückt
2 EL Sonnenblumenöl
225 g Zwiebeln
2 EL frisch gehackter Koriander

1 Rindfleisch in schmale Streifen schneiden.

2 Fleischstreifen in eine große, flache Glasschüssel legen.

3 Sojasauce, Chili-Öl, Tamarindenpaste, Zucker und Knoblauch verrühren.

4 Zuckermischung über das Fleisch löffeln. Fleischstücke gleichmäßig in der Marinade wenden, die Schüssel abdecken und das Fleisch mindestens 1 Stunde marinieren.

5 Sonnenblumenöl in einem vorgewärmten Wok erhitzen.

6 Zwiebeln häuten und halbieren. Dann in den Wok geben und 2–3 Minuten unter Rühren anbräunen.

7 Fleisch mit der Marinade in den Wok geben und 5 Minuten bei starker Hitze scharf braten.

8 Mit Koriander bestreuen und sofort servieren.

TIPP

Das sehr scharfe Chili-Öl kann das ganze Gericht bei einer Überdosierung ungenießbar machen.

Süßkartoffeln mit Kokosrindfleisch

In diesem vorzüglichen Gericht wird die würzige rote Currypaste mit cremiger Kokosmilch und erfrischenden Limettenblättern kombiniert.

Für 4 Personen

ZUTATEN

2 EL Öl
350 g Rumpsteak
2 Knoblauchzehen
1 Zwiebel, in Ringen
350 g Süßkartoffeln
2 EL rote Currypaste
300 ml Kokosmilch
3 Limettenblätter
Jasminreis, zum Servieren

1 Öl in einem großen, vorgewärmten Wok erhitzen.

2 Das Rindfleisch in schmale Streifen schneiden. Fleisch in den Wok geben und ca. 2 Minuten anbraten, damit sich die Poren schließen.

3 Knoblauch und Zwiebel in den Wok geben und 2 Minuten mitbraten.

4 Süßkartoffeln schälen und würfeln.

5 Süßkartoffeln und Currypaste in den Wok geben, Kokosmilch und Limettenblätter zufügen und aufkochen. Hitze reduzieren und abgedeckt 15 Minuten kochen, bis die Kartoffeln gar sind.

6 Limettenblätter aus dem Wok nehmen und das Gericht auf vorgewärmte Schalen verteilen. Heiß servieren und gekochten Jasminreis dazu reichen.

TIPP

Rote und grüne Currypasten gehören zu den Grundzutaten der Thai-Küche, sie werden aus Chillies gewonnen.

TIPP

Statt Limettenblätter können Sie auch Limettenzesten verwenden.

Rindfleisch mit Erbsen und Bohnenpaste

Dieses Gericht ist einfach zubereitet und eignet sich daher ausgezeichnet für ein schnelles, leichtes Mittagessen.

Für 4 Personen

ZUTATEN

450 g Rumpsteak
2 EL Sonnenblumenöl
1 Zwiebel
2 Knoblauchzehen, zerdrückt
150 g Erbsen, frisch oder tiefgefroren
160 g schwarze Bohnenpaste
150 g Chinakohl, in Streifen geschnitten

1 Das Rumpsteak von Fett befreien. Dann in schmale Streifen schneiden.

2 Sonnenblumenöl in einem vorgewärmten Wok erhitzen.

3 Fleischstreifen darin 2 Minuten pfannenrühren.

4 Die Zwiebel häuten und in Ringe schneiden.

5 Zwiebel, Knoblauch und Erbsen zugeben und 5 Minuten weiterrühren.

6 Bohnenpaste und Chinakohl zufügen und 2 Minuten mitgaren, bis die Kohlstreifen zusammenfallen.

7 Auf vorgewärmte Schalen verteilen und sofort servieren.

TIPP

Chinakohl ist mittlerweile überall erhältlich. Er ist hell, von länglicher Form und hat viele dicht stehende, krause Blätter.

TIPP

Dieses Rezept gelingt am besten mit einer Bohnenpaste, die noch Stückchen enthält.

Rindfleisch mit Knoblauch, Sesam und Sojasauce

Sojasauce und Sesam sind klassische Zutaten der chinesischen Küche. Dunkle Sojasauce verleiht diesem Gericht einen intensiveren Geschmack.

Für 4 Personen

ZUTATEN

25 g Sesamsaat
450 g Rinderfilet
2 EL Öl
1 grüne Paprika, entkernt und in schmale Streifen geschnitten
4 Knoblauchzehen, zerdrückt
2 EL trockener Sherry
4 EL Sojasauce
6 Frühlingszwiebeln, in Ringen
Nudeln, zum Servieren

1 Einen großen Wok sehr stark erhitzen.

2 Sesamsaat in den trockenen Wok geben und 1–2 Minuten unter Rühren anbräunen. Dann aus dem Wok herausnehmen und beiseite stellen.

3 Rindfleisch in schmale Streifen schneiden.

4 Öl im Wok erhitzen. Fleischstreifen hineingeben und 2–3 Minuten von allen Seiten anbraten.

5 Paprika und Knoblauch in den Wok geben und 2 Minuten weiterrühren.

6 Sherry und Sojasauce in den Wok gießen, dann die Frühlingszwiebeln zugeben und alles ca. 1 Minute aufkochen, dabei häufig umrühren.

7 Auf vorgewärmte Schalen verteilen und mit gerösteter Sesamsaat bestreuen. Heiß mit gekochten Nudeln servieren.

TIPP

Sie können die Sesamsaat auch auf ein Backblech geben und zum Rösten unter den vorgeheizten Backofengrill stellen.

Schweinefilet mit Satay-Sauce

Satay-Sauce ist sehr einfach zuzubereiten und gehört zu den beliebtesten Saucen der asiatischen Küche. Sie passt bestens zu Rind-, Hühner- und Schweinefleisch.

Für 4 Personen

ZUTATEN

150 g Möhren
2 EL Sonnenblumenöl
350 g Schweinefilet (Nacken), in Streifen geschnitten
1 Zwiebel, in Ringen
2 Knoblauchzehen, zerdrückt
1 gelbe Paprika, entkernt und in Streifen geschnitten
150 g Zuckererbsen
75 g dünner Spargel
gesalzene Erdnüsse, gehackt, zum Bestreuen

SATAY-SAUCE:
6 EL grobe Erdnussbutter
6 EL Kokosmilch
1 TL Chiliflocken
1 Knoblauchzehe, zerdrückt
1 TL Tomatenmark

1 Möhren in dünne Stifte schneiden.

2 Öl in einem großen Wok erhitzen. Schweinefleisch, Zwiebel und Knoblauch zufügen und 5 Minuten braten, bis das Fleisch gar ist.

3 Möhren, Paprika, Zuckererbsen und Spargel zufügen und alles 5 Minuten pfannenrühren.

4 Für die Satay-Sauce Erdnussbutter, Kokosmilch, Chiliflocken, Knoblauch und Tomatenmark in einer kleinen Pfanne mischen und langsam erhitzen.

5 Das fertige Gericht auf vorgewärmte Schalen verteilen. Satay-Sauce darüber gießen und mit Erdnüssen bestreuen. Sofort servieren.

TIPP

Die Sauce erst kurz vor dem Servieren kochen, da sie rasch eindickt und sich dann nicht mehr verstreichen lässt.

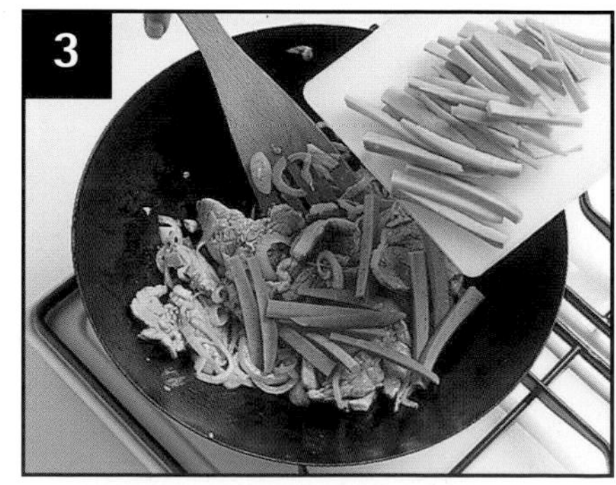

Chinesisches Schweinefleisch mit Eierreis

Das Schweinefleisch wird mit einer herrlichen Gewürzmischung überzogen, bevor es knusprig gebraten und mit Gemüse und Reis vermengt wird.

Für 4 Personen

ZUTATEN

275 g Langkornreis
600 ml kaltes Wasser
350 g Schweinefilet
2 TL Fünf-Gewürze-Pulver
25 g Speisestärke
3 große Eier
25 g brauner oder Farin-Zucker
2 EL Sonnenblumenöl
1 Zwiebel
2 Knoblauchzehen, zerdrückt
100 g Möhren, gewürfelt
1 rote Paprika entkernt und gewürfelt
100 g Erbsen
15 g Butter

1 Reis unter fließendem Wasser waschen. Dann in einen großen Topf geben und mit leicht gesalzenem, kaltem Wasser bedecken. Zum Kochen bringen, Topf abdecken und bei kleinster Hitze ca. 9 Minuten köcheln lassen, bis der Reis die Flüssigkeit aufgesogen hat und gar ist.

2 In der Zwischenzeit das Schweinefilet mit einem scharfen Messer in schmale Streifen schneiden. Beiseite stellen.

3 Fünf-Gewürze-Pulver, Speisestärke, 1 Ei und Zucker vermengen. Fleischstreifen gleichmäßig in dieser Mischung wenden.

4 Öl in einem großen Wok erhitzen. Fleischstreifen darin bei hoher Hitze kross braten. Mit einem Schaumlöffel aus dem Wok nehmen und beiseite stellen.

5 Zwiebel in kleine Stücke schneiden.

6 Zwiebel, Knoblauch, Möhren, Paprika und Erbsen in den Wok geben und 5 Minuten pfannenrühren. Fleisch zurück in den Wok geben, Reis zufügen und 5 Minuten mitgaren.

7 Butter in einer Pfanne zerlassen. 2 verquirlte Eier zufügen und stocken lassen. Das Omelett in schmale Streifen schneiden, unter die Reis-Fleisch-Mischung heben und sofort servieren.

1

Pikante Schweinefleischbällchen

Diese pikanten Fleischbällchen werden mit Tomaten und Wasserkastanien zubereitet und mit frischem Koriander serviert.

Für 4 Personen

ZUTATEN

450 g Schweinehack
2 Schalotten, fein gehackt
2 Knoblauchzehen, zerdrückt
1 TL Kreuzkümmelsamen
1/2 TL Chilipulver
25 g Semmelbrösel
1 Ei, verquirlt
2 EL Sonnenblumenöl
400 g gehackte Tomaten mit Chili (fertige Mischung aus der Dose)
2 EL Sojasauce
200 g Wasserkastanien, abgetropft
3 EL frisch gehackter Koriander

1 Hackfleisch in eine große Schüssel geben. Schalotten, Knoblauch, Kreuzkümmelsamen, Chilipulver, Semmelbrösel und Ei hineingeben und alles gut vermengen.

2 Aus dem Teig kleine Bällchen formen.

3 Sonnenblumenöl in einem großen, vorgewärmten Wok erhitzen. Fleischbällchen portionsweise bei hoher Hitze ca. 5 Minuten rundherum anbraten, damit sich die Poren schließen.

4 Tomaten, Sojasauce und Wasserkastanien in den Wok geben und einmal aufkochen lassen. Fleischbällchen hineingeben, Hitze reduzieren und 15 Minuten köcheln lassen.

5 Mit Koriander bestreuen und heiß servieren.

TIPP

Tomaten mit Chili selbst gemacht: Einige Teelöffel Chilisauce unter gehackte Tomaten mischen.

TIPP

Koriander, auch chinesische Petersilie genannt, würzt intensiver als Petersilie und ist daher sparsam zu verwenden. Falls kein Koriander verfügbar ist, durch Basilikum ersetzen.

Schweinefleisch süß-sauer

Süß-saures Schweinefleisch gehört zu den traditionellen chinesischen Gerichten. Hier wird es mit Gemüse zubereitet und kann mit Reis serviert werden.

Für 4 Personen

ZUTATEN

450 g Schweinefilet
2 EL Sonnenblumenöl
225 g Zucchini
1 rote Zwiebel, in schmale Spalten geschnitten
2 Knoblauchzehen, zerdrückt
225 g Möhren, in dünne Stifte geschnitten
1 rote Paprika, entkernt und in Streifen geschnitten
100 g Babymaiskolben
100 g Champignons, halbiert
175 g frische Ananas, gewürfelt
100 g Bohnensprossen
150 ml Ananassaft
1 EL Speisestärke
2 EL Sojasauce
3 EL Tomatenketchup
1 EL Weißweinessig
1 EL klarer Honig

1 Schweinefilet in dünne Scheiben schneiden.

2 Öl in einem großen, vorgewärmten Wok erhitzen.

3 Fleischscheiben in den Wok geben und 10 Minuten braten, bis sie völlig gar sind und sich am Rand eine Kruste bildet.

4 In der Zwischenzeit die Zucchini in dünne Stifte schneiden.

5 Zucchini, Zwiebel, Knoblauch, Möhren, Paprika, Mais und Champignons in den Wok geben und alles 5 Minuten garen.

6 Ananaswürfel und Bohnensprossen zufügen und 2 Minuten mitgaren.

7 Ananassaft, Speisestärke, Sojasauce, Ketchup, Weinessig und Honig verrühren.

8 Diese süß-saure Sauce in den Wok gießen, Hitze erhöhen und solange rühren, bis die Sauce eindickt. In Portionsschalen füllen und heiß servieren.

TIPP

Für eine krossere Kruste das Fleisch in eine Mischung aus Speisestärke und Eiweiß tauchen, bevor Sie es im Wok braten.

3

4

5

Schweinefleisch mit Paprika

Die getrockneten chinesischen Pilze verleihen dem Gericht zusammen mit der Austernsauce seinen charakteristischen Geschmack.

Für 4 Personen

ZUTATEN

15 g getrocknete chinesische Pilze
450 g Schweinefilet
2 EL Öl
1 Zwiebel, in Ringen
1 rote Paprika, entkernt und gewürfelt
1 grüne Paprika, entkernt und gewürfelt
1 gelbe Paprika, entkernt und gewürfelt
4 EL Austernsauce

1 Pilze in eine große Schüssel geben. Mit kochendem Wasser bedecken und 20 Minuten darin einweichen.

2 Schweinefilet mit einem scharfen Messer von Fetträndern befreien. Fleisch in schmale Streifen schneiden.

3 Wasser in einem großen Topf zum Kochen bringen. Fleischstreifen hineingeben und 5 Minuten garen.

4 Fleischstreifen mit einem Schaumlöffel herausnehmen und gut abtropfen lassen.

5 Öl in einem großen, vorgewärmten Wok erhitzen. Fleisch in den Wok geben und ca. 5 Minuten braten.

6 Pilzwasser abgießen, Pilze gut abtropfen lassen und dann grob hacken.

7 Pilze, Zwiebel und Paprika in den Wok geben und 5 Minuten pfannenrühren.

8 Austernsauce einrühren und alles noch einmal 2–3 Minuten erhitzen. Das fertige Gericht in Schalen füllen und sofort servieren.

VARIATION

Getrocknete chinesische Pilze können durch Portobello-Pilze ersetzt werden.

2

Schweinefleisch mit Mooli

Schweinefleisch und Mooli (weißer Rettich) bilden eine perfekte Kombination, vor allem wenn noch etwas süße Chilisauce dazukommt.

Für 4 Personen

ZUTATEN

4 EL Öl
450 g Schweinefilet
1 Aubergine
225 g Mooli (weißer Rettich)
2 Knoblauchzehen, zerdrückt
3 EL Sojasauce
2 EL süße Chilisauce

1 2 Esslöffel Öl in einem großen, vorgewärmten Wok erhitzen.

2 Schweinefleisch mit einem scharfen Messer in dünne Scheiben schneiden.

3 Fleischscheiben in den Wok geben und ca. 5 Minuten braten.

4 Aubergine mit einem scharfen Messer putzen und in Würfel schneiden. Mooli schälen und in Scheiben schneiden.

5 Das restliche Öl in den Wok gießen.

6 Auberginenwürfel in den Wok geben, Knoblauch zufügen und 5 Minuten pfannenrühren.

7 Mooli in den Wok geben und ca. 2 Minuten pfannenrühren.

8 Sojasauce und Chilisauce in die Mischung einrühren und alles gleichmäßig erhitzen.

9 Das fertige Gericht in vorgewärmte Schalen füllen und sofort servieren.

TIPP

Mooli (weißer Rettich) ist ein weißes Stangengemüse und in der chinesischen Küche sehr beliebt. Normalerweise wird er gerieben. Er ist nicht so scharf wie roter Rettich.

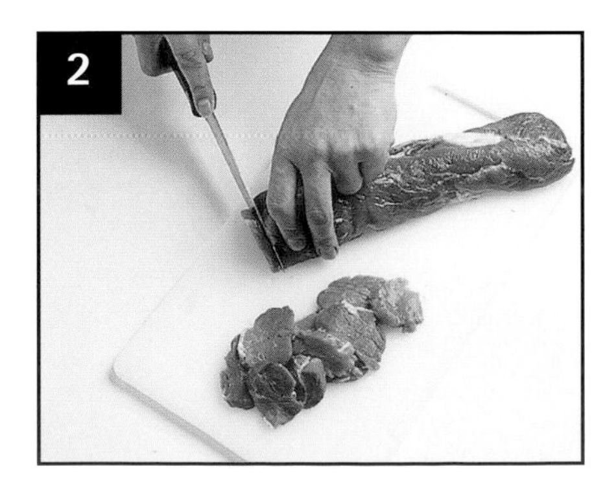

Lamm mit Satay-Sauce

Lammfleisch wird hier in würziger Satay-Sauce mariniert, mit einer Erdnusssauce angebraten und anschließend gegrillt.

Für 4 Personen

ZUTATEN

450 g Lammfleisch (Lendenstück)
1 EL milde Currypaste
150 ml Kokosmilch
2 Knoblauchzehen, zerdrückt
1/2 TL Chilipulver
1/2 TL Kreuzkümmel
1 EL Maiskeimöl
1 Zwiebel, gewürfelt
6 EL grobe Erdnussbutter
1 TL Tomatenmark
1 TL frischer Limettensaft
100 ml kaltes Wasser

1 Lammfleisch in dünne Scheiben schneiden und in eine große Schüssel geben.

2 Currypaste, Kokosmilch, Knoblauch, Chilipulver und Kreuzkümmel in einer Schale mischen.

3 Diese Mischung über das Fleisch gießen, Fleisch gleichmäßig darin wenden und abgedeckt 30 Minuten marinieren.

4 In der Zwischenzeit Öl in einem großen Wok erhitzen. Zwiebel zufügen und 5 Minuten garen, dann die Hitze reduzieren und weitere 5 Minuten garen.

5 Erdnussbutter, Tomatenmark, Limettensaft und Wasser in den Wok geben und alles gut verrühren.

6 Lammfleischscheiben auf Holzspieße stecken. Marinade aufbewahren.

7 Fleischspieße 6–8 Minuten im Backofen grillen, dabei einmal wenden.

8 Zurückbehaltene Marinade in den Wok geben, aufkochen und 5 Minuten köcheln lassen. Diese Satay-Sauce zu den Lammspießen reichen.

TIPP

Wenn Sie die Holzspießchen vor dem Grillen 30 Minuten in kaltes Wasser legen, brennen sie nicht an.

2

3

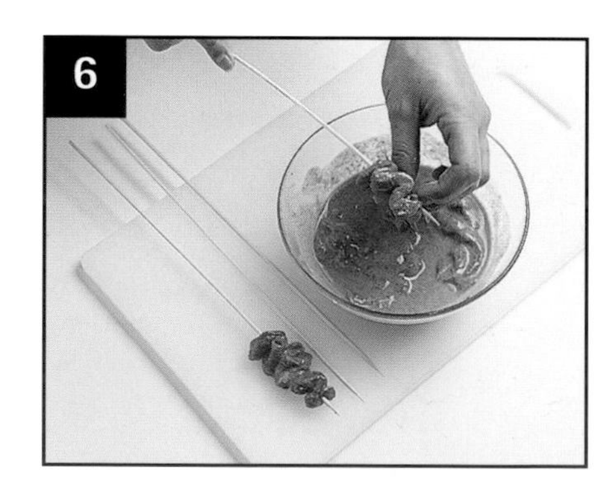
6

Lammfleisch mit Bohnenpaste und Paprika

Die rote Zwiebel sorgt in diesem Rezept mit den bunten Paprikaschoten für ein schönes Farbenspiel.

Für 4 Personen

ZUTATEN

- 450 g Lammfilet (Nacken oder entbeintes Kotelett)
- 1 Eiweiß, leicht verquirlt
- 25 g Speisestärke
- 1 EL Fünf-Gewürze-Pulver
- 3 EL Sonnenblumenöl
- 1 rote Zwiebel
- 1 rote Paprika, entkernt und in Streifen geschnitten
- 1 grüne Paprika, entkernt und in Streifen geschnitten
- 1 gelbe Paprika, entkernt und in Streifen geschnitten
- 5 EL schwarze Bohnenpaste
- Reis oder Nudeln, zum Servieren

1 Lammfleisch mit einem scharfen Messer in sehr schmale Streifen schneiden.

2 Eiweiß, Speisestärke und Fünf-Gewürze-Pulver in einer Schüssel vermengen. Fleischstreifen gleichmäßig in der Mischung wenden.

3 Öl in einem vorgewärmten Wok erhitzen. Lammfleisch zufügen und bei starker Hitze 5 Minuten leicht bräunen.

4 Zwiebel mit einem scharfen Messer in Ringe schneiden und mit den Paprikastreifen in den Wok geben. 5–6 Minuten garen, das Gemüse soll noch bissfest sein.

5 Bohnenpaste in die Mischung einrühren und alles gleichmäßig erhitzen.

6 Lammfleisch und Sauce auf vorgewärmte Teller geben und mit gekochtem Reis oder Nudeln servieren.

TIPP

Durch das Eiweiß können die panierten Fleischstücke am Wok kleben bleiben, deshalb müssen Sie die Fleischstücke ständig im Wok bewegen.

Lammfleisch mit Frühlingszwiebeln und Austernsauce

Lammsteaks sind ideal für die schnelle Küche: In Streifen geschnitten sind sie im Wok in kürzester Zeit gar.

Für 4 Personen

ZUTATEN

450 g Lammsteaks (Keule)
1 TL Szechuan-Pfeffer, zerstoßen
1 EL Erdnussöl
2 Knoblauchzehen, zerdrückt
8 Frühlingszwiebeln, in Ringen
2 EL dunkle Sojasauce
6 EL Austernsauce
175 g Chinakohl
Krupuk, zum Servieren

1 Lammfleisch von überschüssigem Fett befreien. Fleisch in schmale Streifen schneiden.

2 Szechuan-Pfeffer über das Fleisch streuen und gut andrücken, damit sich eine Kruste bildet.

3 Öl in einen vorgewärmten Wok geben und das Fleisch darin 5 Minuten anbraten.

4 Knoblauch, Frühlingszwiebeln und Sojasauce zugeben und 2 Minuten mitbraten.

5 Austernsauce und Kohlblätter zufügen und weitere 2 Minuten garen, bis die Blätter zusammenfallen und die Flüssigkeit aufkocht.

6 Das Gericht in Schalen mit Krupuk servieren.

TIPP

Krupuk (Krabbenbrot) besteht u.a. aus gepressten Garnelen und Tapiokamehl, die in heißem Öl ausgebacken werden.

TIPP

Für die Austernsauce werden Austern in Salzwasser und Sojasauce gegart. Die Sauce ist im Kühlschrank monatelang haltbar.

Lammcurry mit Kartoffeln

Mit einer Scheibe Brot oder einem Brötchen ist dieses Lammcurry eine sättigende Mahlzeit.

Für 4 Personen

ZUTATEN

450 g Kartoffeln, gewürfelt
450 g mageres Lammfleisch, gewürfelt
2 EL mittelscharfe Currypaste
2 EL Sonnenblumenöl
1 Zwiebel, in Ringen
1 Aubergine, gewürfelt
2 Knoblauchzehen, zerdrückt
1 EL geraspelter frischer Ingwer
150 ml Lamm- oder Rinderbrühe
2 EL frisch gehackter Koriander

1 Gesalzenes Wasser in einem großen Topf zum Kochen bringen. Die Kartoffeln hineingeben und 10 Minuten garen. Dann mit einem Schaumlöffel herausnehmen und abtropfen lassen.

2 In der Zwischenzeit Lammfleisch in eine große Schüssel geben. Currypaste zufügen und mit dem Fleisch vermengen.

3 Sonnenblumenöl in einem vorgewärmten Wok erhitzen.

4 Zwiebel, Aubergine, Knoblauch und Ingwer hineingeben und ca. 5 Minuten unter Rühren scharf anbraten.

5 Lammfleisch in den Wok geben und alles noch 5 Minuten pfannenrühren.

6 Brühe und Kartoffeln zugeben, zum Kochen bringen und 30 Minuten köcheln lassen, bis das Lammfleisch gar ist.

7 Auf vorgewärmte Teller verteilen, mit Koriander bestreuen und sofort servieren.

TIPP

Der Wok stammt ursprünglich aus der chinesischen Provinz Kanton. Sein Name bedeutet schlicht „Kochgerät".

2

4

5

Knoblauchlamm mit Sojasauce

Die lange Marinierzeit erlaubt dem Knoblauch sein volles Aroma zu entfalten und an das Lammfleisch abzugeben.

Für 4 Personen

ZUTATEN

- 450 g Lammfilet (Lendenstück)
- 2 Knoblauchzehen
- 2 EL Erdnussöl
- 3 EL trockener Sherry oder Reiswein
- 3 EL dunkle Sojasauce
- 1 TL Speisestärke
- 2 EL kaltes Wasser
- 25 g Butter

1 Lammfleisch mit mehreren kleinen Einschnitten versehen.

2 Knoblauchzehen vorsichtig schälen und in Scheiben schneiden.

3 Knoblauchscheiben in die Fleischschlitze stecken. Das mit Knoblauch gespickte Lamm in eine flache Schale legen.

4 Jeweils 1 Esslöffel Öl, Sherry und Sojasauce über das Fleisch geben, abdecken und über Nacht, mindestens aber 1 Stunde, marinieren.

5 Mariniertes Fleisch mit einem scharfen Messer dünn aufschneiden.

6 Restliches Öl in einem vorgewärmten Wok erhitzen. Fleischscheiben hineingeben und 5 Minuten braten.

7 Marinade zugießen, ebenso den restlichen Sherry und die Sojasauce. 5 Minuten kochen.

8 Speisestärke mit Wasser verrühren. Die Mischung in den Wok gießen und unter häufigem Rühren mitgaren, bis die Sauce eindickt.

9 Butter in kleine Stücke schneiden, in den Wok geben und rühren, bis sie geschmolzen ist. Das fertige Gericht auf Teller verteilen und sofort servieren.

TIPP

Die Butter sorgt für eine üppige, schön glänzende Sauce – eine ideale Ergänzung.

Lamm nach Thai-Art

Erdnussöl wird hier nicht nur verwendet, weil es sich sehr gut zum Braten eignet, sondern auch wegen seines charakteristischen Eigengeschmacks.

Für 4 Personen

ZUTATEN

2 scharfe rote Chilischoten
2 EL Erdnussöl
2 Knoblauchzehen, zerdrückt
4 Schalotten, gehackt
2 Stängel Zitronengras, gehackt
6 Limettenblätter
1 EL Tamarindenpaste
25 g Palmzucker
450 g mageres Lammfilet (Haxe oder Lendenstück)
600 ml Kokosmilch
175 g Kirschtomaten, halbiert
1 EL frisch gehackter Koriander
Duftreis, zum Servieren

1 Chillies mit einem scharfen Messer entkernen und sehr fein hacken.

2 Erdnussöl in einem großen, vorgewärmten Wok erhitzen.

3 Knoblauch, Schalotten, Zitronengras, Limettenblätter, Tamarindenpaste, Palmzucker und Chillies in den Wok geben und ca. 2 Minuten pfannenrühren.

4 Lammfleisch mit einem scharfen Messer in schmale Streifen oder Würfel schneiden.

5 Fleisch ca. 5 Minuten im Wok anbraten, dabei häufig wenden, um die Fleischstücke gleichmäßig mit den Gewürzen zu verbinden.

6 Kokosmilch in den Wok gießen und aufkochen. Hitze reduzieren und alles 20 Minuten köcheln lassen.

7 Kirschtomaten und Koriander zufügen, 5 Minuten mitköcheln lassen. Auf Teller verteilen und sehr heiß servieren. Dazu Duftreis reichen.

TIPP

Thai-Limetten, makut *genannt, besitzen besonders aromatische Blätter und sind wie kleine Kugeln geformt. Die Blätter eignen sich gut zum Würzen.*

1

3

5

Lammpfanne mit Orange

Lammfleisch und Orange sind eine gelungene Kombination, denn die Säure der Zitrusfrucht mildert etwas den intensiven Geschmack des Fleischs ab.

Für 4 Personen

ZUTATEN

450 g Lammhack
2 Knoblauchzehen, zerdrückt
1 TL Kreuzkümmelsamen
1 TL gemahlener Koriander
1 rote Zwiebel, in Ringen
Zesten und Saft von 1 Orange
2 EL Sojasauce
1 Orange, geschält und in Spalten zerteilt
Salz und Pfeffer
Schnittlauch, zum Garnieren

1 Lammhack in einen vorgewärmten, trockenen Wok geben und 5 Minuten gleichmäßig anbräunen. Das ausgebratene Fett abgießen.

2 Knoblauch, Kreuzkümmelsamen, Koriander und Zwiebel zufügen und 5 Minuten mitgaren.

3 Orangenzesten, -saft und Sojasauce zugeben, abdecken, Hitze reduzieren und unter gelegentlichem Rühren 15 Minuten köcheln lassen.

4 Deckel abnehmen, Hitze erhöhen, Orangenspalten zufügen, alles salzen, pfeffern und 2–3 Minuten erhitzen.

5 Das fertige Gericht auf vorgewärmte Teller verteilen und mit frisch gehacktem Schnittlauch garnieren. Sofort servieren.

TIPP

Zu diesem Rezept passt ein leichter, trockener Weißwein oder ein leichter Rotwein im Burgunderstil.

VARIATION

Sie können die Orange durch eine Zitrone ersetzen.

Lammleber mit Paprika und Sherry

Dieses herrliche Gericht sollten Sie mit Reis oder Nudeln zum Aufsaugen der Sauce servieren.

Für 4 Personen

ZUTATEN

450 g Lammleber
3 EL Speisestärke
2 EL Erdnussöl
1 Zwiebel, in Ringen
2 Knoblauchzehen, zerdrückt
2 grüne Paprika, entkernt und in Streifen geschnitten
2 EL Tomatenmark
3 EL trockener Sherry
2 EL Sojasauce

1 Mit einem scharfen Messer Fettstreifen von der Leber entfernen. Leber in schmale Streifen schneiden.

2 2 Esslöffel Speisestärke in eine große Schüssel geben.

3 Leberstreifen in der Speisestärke gleichmäßig wenden.

4 Erdnussöl in einem großen, vorgewärmten Wok erhitzen.

5 Lammleber, Zwiebeln, Knoblauch und Paprika in den Wok geben. 6–7 Minuten braten, bis die Leber gar und das Gemüse noch bissfest ist.

6 Tomatenmark, Sherry, restliche Speisestärke und Sojasauce verrühren. Die Mischung mit den anderen Zutaten im Wok vermengen und 2 Minuten mitgaren, bis die Flüssigkeit eindickt. Das fertige Gericht auf vorgewärmte Schalen verteilen und sofort servieren.

VARIATION

Stilgerecht würde man statt Sherry Reiswein verwenden. Chinesischer Reiswein wird aus Klebreis gewonnen und bezeichnenderweise auch „gelber Wein" genannt. Die beste Sorte, Shao Hsing *bzw.* Shaoxing, *stammt aus Südostchina.*

1

5

6

Fisch & Meeresfrüchte

In ganz Asien spielen Fisch und Meeresfrüchte in der Ernährung eine wichtige Rolle, weil sie ebenso nahrhaft wie gesund sind. Im Wok kann man sie sehr vielseitig zubereiten – gedämpft, frittiert oder pfannengerührt und mit erlesenen Saucen und Gewürzen verfeinert.

Die japanische Küche ist berühmt für ihren rohen Fisch, sashimi genannt, aber er ist nur ein Beispiel für die ungeheure Vielzahl der Rezepte. Fisch und Meeresfrüchte gehören in Japan zu jeder Mahlzeit, und oft werden sie im Wok zubereitet. Im folgenden Kapitel präsentieren wir Ihnen viele originelle und wohlschmeckende Gerichte auf der Grundlage von Fisch und Meeresfrüchten, die mit aromatischen Kräutern und Gewürzen, Würzpasten und Saucen kombiniert werden.

Bei all diesen Rezepten sollten Sie möglichst frischen Fisch verwenden, also ihn vorzugsweise am selben Tag kaufen, zubereiten und genießen.

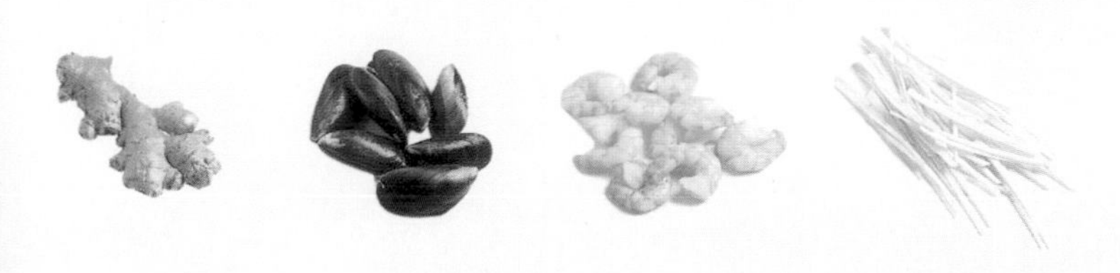

Lachs-Teriyaki mit knusprigen Lauchstreifen

Teriyaki ist ein wunderbares japanisches Gericht, das besonders gut mit Lachs zubereitet schmeckt.

Für 4 Personen

ZUTATEN

450 g Lachsfilet, enthäutet
2 EL süße Sojasauce
2 EL Tomatenketchup
1 TL Reisweinessig
1 EL brauner oder Farin-Zucker
1 Knoblauchzehe, zerdrückt
4 EL Maiskeimöl
450 g Lauch, in Ringen
rote Chilischoten, fein gehackt, zum Garnieren

1 Den Lachs mit einem scharfen Messer in Scheiben schneiden. Die Scheiben in ein flaches metallfreies Gefäß legen.

2 Sojasauce, Tomatenketchup, Reisweinessig, Zucker und Knoblauch verrühren.

3 Die Lachsscheiben in dieser Marinade wenden und ca. 30 Minuten einziehen lassen.

4 Währenddessen 3 Esslöffel Maiskeimöl in einem vorgewärmten Wok erhitzen.

5 Lauchringe in den Wok geben und bei mittlerer Hitze ca. 10 Minuten schnell pfannenrühren, bis sie knusprig und gar sind.

6 Lauchringe mit einem Schaumlöffel herausnehmen und auf vorgewärmte Teller verteilen.

7 Restliches Öl in den Wok geben. Lachs mit der Marinade zufügen und 2 Minuten braten. Lachsscheiben mit den Chillies dekorativ auf dem Lauchbett anrichten und sofort servieren.

VARIATION

Nach demselben Rezept kann auch Rinderfilet zubereitet werden.

1

3

5

Lachs mit Ananas

Die Präsentation der Speisen spielt in der chinesischen Küche eine große Rolle. Dabei wird den Farben der Zutaten auch eine entscheidende Bedeutung beigemessen.

Für 4 Personen

ZUTATEN

- 100 g Babymaiskolben
- 2 EL Sonnenblumenöl
- 1 rote Zwiebel, in Ringen
- 1 gelbe Paprika, entkernt und in Streifen geschnitten
- 1 grüne Paprika, entkernt und in Streifen geschnitten
- 450 g Lachsfilet, enthäutet
- 1 EL Paprikapulver
- 225 g Ananasstücke aus der Dose, abgetropft
- 100 g Bohnensprossen
- 2 EL Tomatenketchup
- 2 EL Sojasauce
- 2 EL Sherry (medium)
- 1 TL Speisestärke

1 Den Mais längs halbieren.

2 Sonnenblumenöl in einem großen vorgewärmten Wok erhitzen. Zwiebel, Paprika und Mais in den Wok geben und 5 Minuten pfannenrühren.

3 Das Lachsfilet unter fließendem Wasser säubern und mit Küchenpapier trockentupfen.

4 Lachs in schmale Streifen schneiden und in einer großen Schüssel von allen Seiten in Paprikapulver wenden.

5 Lachsstreifen mit den Ananasstücken in den Wok geben und 2–3 Minuten dünsten, bis der Lachs gar ist.

6 Bohnensprossen unter die anderen Zutaten zugeben.

7 Tomatenketchup, Sojasauce, Sherry und Speisestärke verrühren. Die Mischung in den Wok geben und mitgaren, bis die Flüssigkeit eindickt. Auf vorgewärmte Teller geben und sofort servieren.

VARIATION

Eine ebenso delikate Alternative zum Lachs ist Forellenfilet.

1

2

4

Thunfisch mit Gemüse

Frischer Thunfisch hat eine dunkle Farbe und ist heute mittlerweile in vielen Fachgeschäften erhältlich. Er harmoniert sehr gut mit den reichen Aromen dieses Gerichts.

Für 4 Personen

ZUTATEN

2 EL Maiskeimöl
1 Zwiebel, in Ringen
225 g Möhren
175 g Zuckererbsen
175 g Babymaiskolben, halbiert
450 g frischer Thunfisch
2 EL Fischsauce
15 g Palmzucker
Zesten und Saft von 1 Orange
2 EL Sherry
1 TL Speisestärke
Reis oder Nudeln, zum Servieren

1 Möhren in dünne Stifte schneiden und Maiskeimöl in einem großen, vorgewärmten Wok erhitzen.

2 Zwiebel, Möhren, Zuckererbsen und Mais in den Wok geben und 5 Minuten pfannenrühren.

3 Thunfisch mit einem scharfen Messer in dünne Scheiben schneiden.

4 Scheiben in den Wok geben und 2–3 Minuten anbraten, bis das Fleisch fest geworden ist.

5 Fischsauce, Palmzucker, Orangenzesten und -saft, Sherry und Speisestärke verrühren.

6 Die Mischung über Fisch und Gemüse geben und 2 Minuten weitergaren, bis die Flüssigkeit eindickt. Mit Reis oder Nudeln servieren.

TIPP

Palmzucker ist ein pastöser brauner Zucker mit Karamellgeschmack. Er wird in runden Platten oder in kleinen Dosen verkauft.

VARIATION

Statt Thunfisch können auch Schwertfischsteaks verwendet werden. Sie ähneln in ihrer Konsistenz dem Thunfisch.

1

3

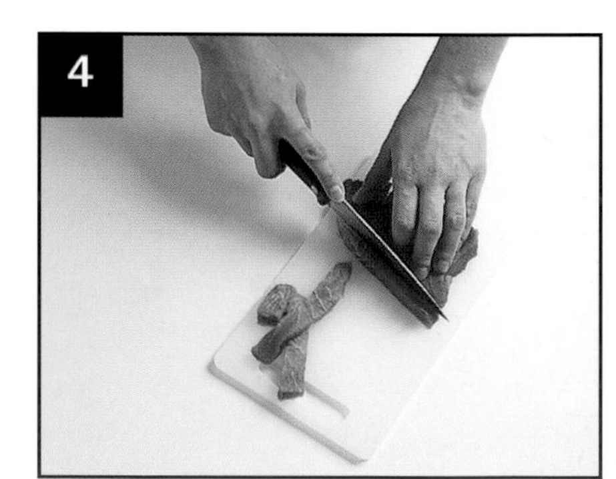
4

Kabeljau mit Mango

Fisch und Früchte sind eine beliebte Kombination. In diesem Rezept bereichert eine tropische Mango das Fischgericht.

Für 4 Personen

ZUTATEN

175 g Möhren
2 EL Öl
1 rote Zwiebel, in Ringen
1 rote Paprika, entkernt und in Ringe geschnitten
1 grüne Paprika, entkernt und in Ringe geschnitten
450 g Kabeljaufilet, enthäutet
1 reife Mango
1 TL Speisestärke
1 EL Sojasauce
100 ml tropischer Fruchtsaft
1 EL Limettensaft
1 EL frisch gehackter Koriander

1 Möhren mit einem scharfen Messer in dünne Stifte schneiden.

2 Öl in einem vorgewärmten Wok erhitzen.

3 Zwiebel, Möhren und Paprika zugeben und 5 Minuten pfannenrühren.

4 Kabeljau mit einem scharfen Messer in kleine Würfel schneiden.

5 Mango schälen, vorsichtig den Kern auslösen und das Fruchtfleisch in dünne Scheiben schneiden.

6 Kabeljau und Mango in den Wok geben und 4–5 Minuten pfannenrühren, bis der Fisch gar ist. Vorsichtig rühren, damit er nicht zerfällt.

7 Speisestärke, Sojasauce, Frucht- und Limettensaft in einer kleinen Schüssel verrühren.

8 Diese Mischung in den Wok geben und köcheln lassen, bis sie eindickt. Mit Koriander bestreuen und sofort servieren.

VARIATION

Eine köstliche Alternative zur Mango ist die Papaya, auch Pau-Pau *genannt.*

1

5

7

Seeteufel mit Ingwer

Dieses Gericht ist für besondere Anlässe. Seeteufel hat ein festes sowie saftiges Fleisch und harmoniert sehr gut mit Spargel, Chili und Ingwer.

Für 4 Personen

ZUTATEN

450 g Seeteufel
1 EL frisch geraspelter Ingwer
1 EL süße Chilisauce
1 EL Maiskeimöl
100 g dünner grüner Spargel
3 Frühlingszwiebeln, in Ringen
1 TL Sesamöl

1 Seeteufel mit einem scharfen Messer in dünne Scheiben schneiden.

2 Ingwer mit der Chilisauce in einer kleinen Schale vermengen.

3 Fischscheiben mit der Ingwer-Chili-Mischung bestreichen.

4 Maisöl in einem großen, vorgewärmten Wok erhitzen.

5 Fisch, Spargel und Frühlingszwiebeln in den Wok geben und ca. 5 Minuten pfannenrühren.

6 Wok vom Herd nehmen, Sesamöl gründlich unter die Zutaten mischen.

7 Das Gericht auf vorgewärmten Tellern sofort servieren.

TIPP

Manche Rezepte verlangen, dass Ingwer vor dem Garen geraspelt wird. Ingwer zu diesem Zweck schälen und im Winkel von 45 ° auf einer Gemüsereibe oder einer speziellen Ingwerreibe aus Holz oder Keramik raspeln.

VARIATION

Seeteufel ist ein köstlicher, aber teurer Fisch. Man kann ihn für dieses Rezept durch ein dickes Kabeljaufilet ersetzen.

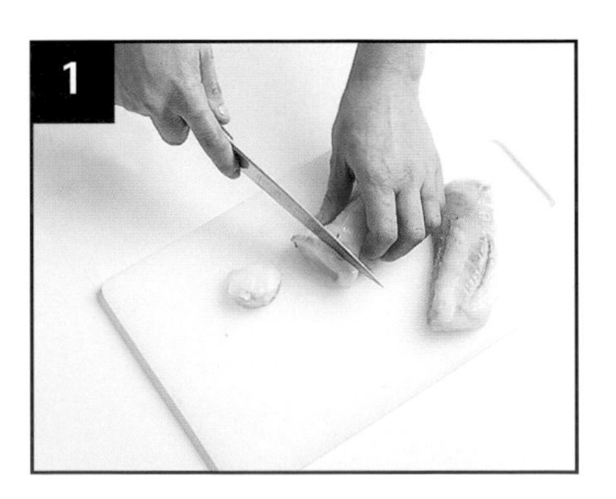

Gedünstetes Fischfilet

Für dieses Rezept kann jedes weiße Fischfleisch verwendet werden, so beispielsweise Scholle oder Seezunge.

Für 4 Personen

ZUTATEN

3–4 kleine getrocknete chinesische Pilze
300–350 g Fischfilet, in Stücken
1 TL Salz
1/2 Eiweiß, leicht verquirlt
1 TL Speisestärke
600 ml Öl
1 TL fein geraspelter Ingwer
2 Frühlingszwiebeln, fein gehackt
1 Knoblauchzehe, zerdrückt
1/2 kleine grüne Paprika, entkernt und fein gewürfelt
1/2 kleine Möhre, in Scheiben
60 g Bambussprossen aus der Dose, in kleinen Stücken, abgespült und abgetropft
1/2 TL Zucker
1 EL helle Sojasauce
1 TL Reiswein oder trockener Sherry
1 EL Chili-Bohnen-Sauce
2–3 EL chinesische Brühe oder Wasser
einige Tropfen Sesamöl

1 Die Pilze 30 Minuten in einer Schüssel mit warmem Wasser einweichen. Auf Küchenpapier abtropfen lassen, das Wasser für Brühe oder Suppe aufbewahren. Restwasser aus den Pilzen ausdrücken, harte Teile entfernen, Pilze in Streifen schneiden.

2 Fischfiletstücke in ein flaches Gefäß legen. Etwas Salz, Eiweiß und Speisestärke zufügen und den Fisch darin von allen Seiten wenden.

3 Öl in einem vorgewärmten Wok erhitzen. Fischstücke zugeben und ca. 1 Minute anbraten. Danach mit einem Schaumlöffel herausnehmen und auf Küchenpapier legen.

4 Öl bis auf 1 Esslöffel abgießen. Ingwer, Frühlingszwiebeln und Knoblauch einige Sekunden im Wok garen, dann Paprika, Möhre und Bambussprossen zufügen und ca. 1 Minute pfannenrühren.

5 Zucker, Sojasauce, Wein oder Sherry, Chili-Bohnen-Sauce, Brühe oder Wasser sowie das restliche Salz zufügen. Alles zum Kochen bringen. Fischstücke zugeben, gut mit der Sauce verrühren und 1 Minute mitgaren.

6 Das fertige Gericht mit Sesamöl beträufeln und sofort servieren.

2

2

4

Kabeljau mit Kokos-Basilikum-Sauce

Fischcurrys sind einfach und schnell zuzubereiten. Rote Currypaste und Kokosmilch verleihen diesem thailändischen Curry ein köstliches Aroma.

Für 4 Personen

ZUTATEN

2 EL Öl
450 g Kabeljaufilet, enthäutet
25 g Mehl
1 Knoblauchzehe, zerdrückt
2 EL rote Currypaste
1 EL Fischsauce
300 ml Kokosmilch
175 g Kirschtomaten, halbiert
20 frische Basilikumblätter
Duftreis, zum Servieren

1 Öl in einem großen, vorgewärmten Wok erhitzen.

2 Fisch mit einem scharfen Messer in große Würfel schneiden und mit einer Pinzette gründlich die Gräten entfernen.

3 Mehl in eine Schüssel geben und die Fischwürfel darin wenden.

4 Die Fischwürfel in den Wok geben und bei starker Hitze 3–4 Minuten unter Rühren anbräunen.

5 Knoblauch, Currypaste, Fischsauce und Kokosmilch in einer Schüssel verrühren. Die Mischung über den Fisch gießen und zum Kochen bringen.

6 Tomaten in den Wok geben und alles 5 Minuten köcheln lassen.

7 Die Basilikumblätter in Streifen schneiden, in den Wok geben und behutsam unterrühren, die Fischwürfel sollen dabei nicht zerfallen.

TIPP

Das Gericht darf nur noch sanft köcheln, sobald die Tomaten im Wok sind, da sie sonst zerfallen und sich häuten.

8 Das Gericht auf Teller verteilen und heiß servieren. Dazu Duftreis reichen.

3

4

5

Kokos-Garnelen

Diese knusprigen, frittierten Garnelen sehen nicht nur wunderbar aus, sondern schmecken auch herrlich.

Für 4 Personen

ZUTATEN

50 g Kokosflocken
25 g frische Semmelbrösel
1 TL Fünf-Gewürze-Pulver
1/2 TL Salz
Zesten von 1 Zitrone
1 Eiweiß
450 g Garnelen
Sonnenblumen- oder Maiskeimöl, zum Frittieren
Zitronenspalten, zum Garnieren

1 Kokosflocken, Semmelbrösel, Fünf-Gewürze-Pulver, Salz und Zitronenzesten in einer Schüssel vermengen.

2 Eiweiß in einem anderen Gefäß leicht verquirlen.

3 Garnelen unter fließendem kaltem Wasser abspülen und mit Küchenpapier trockentupfen.

4 Garnelen in die Eiweißmasse tauchen und in der Kokos-Brösel-Mischung wenden.

5 Einen vorgewärmten Wok ca. 5 cm hoch mit Sonnenblumen- oder Maiskeimöl füllen und erhitzen.

6 Garnelen ca. 5 Minuten unter ständigem Rühren knusprig und goldbraun braten.

7 Garnelen mit einem Schaumlöffel herausnehmen und auf Küchenpapier abtropfen lassen.

8 Auf vorgewärmten Tellern anrichten und mit Zitronenspalten garnieren. Sofort servieren.

TIPP

Nach Wunsch Satay- oder Chili-Sauce zum fertigen Gericht reichen.

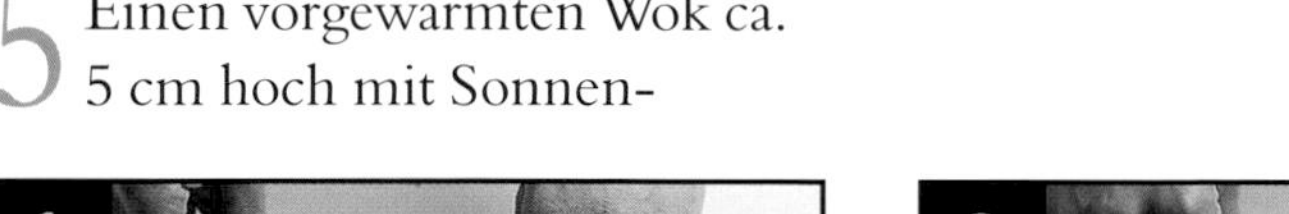

Shrimps-Omelett

Ein echtes Minutengericht, für das Sie alle möglichen Gemüsesorten oder Fischreste verwenden können.

Für 4 Personen

ZUTATEN

2 EL Sonnenblumenöl
4 Frühlingszwiebeln
350 g Shrimps, ausgelöst
100 g Bohnensprossen
1 TL Speisestärke
1 EL helle Sojasauce
6 Eier
3 EL kaltes Wasser

1 Sonnenblumenöl in einem großen, vorgewärmten Wok erhitzen.

2 Frühlingszwiebeln gründlich putzen und in Ringe schneiden.

3 Shrimps, Frühlingszwiebeln und Bohnensprossen in den Wok geben und 2 Minuten pfannenrühren.

4 Speisestärke und Sojasauce in einer Schüssel vermengen.

5 Eier mit Wasser verquirlen, der Speisestärke-Soja-Mischung zugeben und damit verrühren.

6 Eiermischung in den Wok geben und 5–6 Minuten garen, bis sie stockt.

7 Omelett auf einen Teller legen und zum Servieren in 4 Teile schneiden.

TIPP

Unbedingt frische Bohnensprossen verwenden! Dosenware ist nicht knackig genug.

VARIATION

In Schritt 3 kann man auch ein anderes Gemüse zufügen, z. B. geraspelte Möhren oder vorgegarte Erbsen.

Garnelen in pikanter Tomatensauce

Basilikum und Tomaten harmonieren hervorragend mit Garnelen. Hier wird das Ganze noch mit Kreuzkümmel und Knoblauch abgerundet.

Für 4 Personen

ZUTATEN

- 2 EL Maiskeimöl
- 1 Zwiebel
- 2 Knoblauchzehen, zerdrückt
- 1 TL Kreuzkümmelsamen
- 1 EL brauner oder Farin-Zucker
- 400 g Tomaten aus der Dose, gehackt
- 1 EL Tomatenmark
- 1 EL frisch gehacktes Basilikum
- 450 g Garnelen, ausgelöst
- Salz und Pfeffer

1 Maiskeimöl in einem großen, vorgewärmten Wok erhitzen.

2 Die Zwiebel mit einem scharfen Messer fein hacken.

3 Zwiebel und Knoblauch in den Wok geben und 2–3 Minuten pfannenrühren.

4 Kreuzkümmelsamen zugeben und 1 Minute mitgaren.

5 Zucker, Tomaten und Tomatenmark in den Wok geben. Die Mischung zum Kochen bringen, dann die Hitze reduzieren und die Sauce 10 Minuten köcheln lassen.

6 Basilikum und Garnelen in den Wok geben, salzen und pfeffern. Bei erhöhter Hitze 2–3 Minuten braten, bis die Garnelen gar sind.

TIPP

Den Wok stets erhitzen, bevor Sie das Öl hineingeben. Dann haften die Zutaten nicht am Boden an.

TIPP

Anstelle des Tomatenmarks können Sie auch Tomatenpaste aus getrockneten Tomaten verwenden. Sie schmeckt weitaus intensiver als Tomatenmark.

2

4

5

Garnelen mit frittiertem Ingwer

Frittierte Ingwerstifte werden hier als Garnierung für die Garnelen verwendet. Zugleich bilden sie auch einen delikaten Kontrast zu den Garnelen.

Für 4 Personen

ZUTATEN

5-cm-Stück Ingwerwurzel
Öl, zum Frittieren
1 Zwiebel, gewürfelt
225 g Möhren, gewürfelt
100 g Erbsen, tiefgefroren
100 g Bohnensprossen
450 g Garnelen, ausgelöst
1 TL Fünf-Gewürze-Pulver
1 EL Tomatenmark
1 EL Sojasauce

1 Den Ingwer mit einem scharfen Messer schälen und in sehr dünne Stifte schneiden.

2 Einen vorgewärmten Wok ca. 2 1/2 cm hoch mit Öl füllen und erhitzen.

3 Ingwer in den Wok geben und 1 Minute frittieren. Mit einem Schaumlöffel herausnehmen und zum Abtropfen auf Küchenpapier legen. Beiseite stellen.

4 Öl aus dem Wok bis auf 2 Esslöffel abgießen.

5 Zwiebel und Möhren in den Wok geben und 5 Minuten pfannenrühren.

6 Erbsen und Bohnensprossen zufügen und 2 Minuten pfannenrühren.

7 Garnelen unter fließendem kaltem Wasser abspülen und mit Küchenpapier trockentupfen.

8 Fünf-Gewürze-Pulver, Tomatenmark und Sojasauce vermengen. Garnelen damit bepinseln.

9 Garnelen zu den anderen Zutaten in den Wok geben und 2 Minuten weiterrühren, bis die Garnelen gar sind. Das fertige Gericht in eine vorgewärmte Servierschale füllen und mit dem frittierten Ingwer garnieren. Sofort servieren.

VARIATION

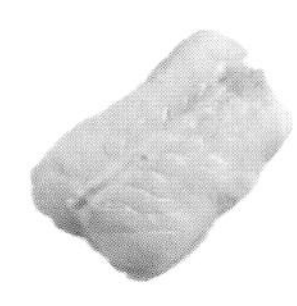

Man kann die Garnelen auch durch ein Weißfischfilet ersetzen.

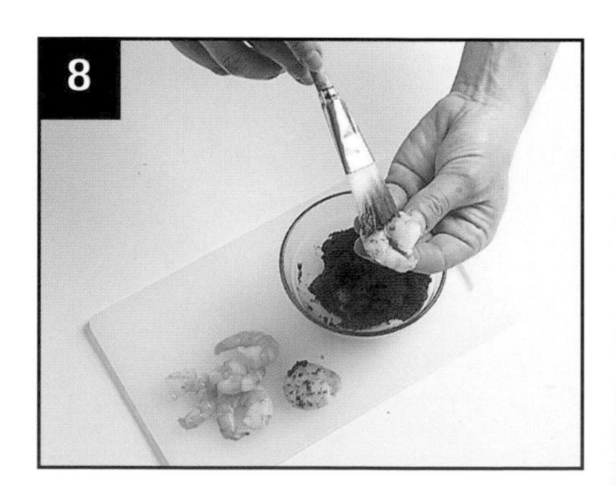

Gemüse mit Shrimps und Ei

In diesem Rezept wird ein leichtes Omelett in schmale Streifen geschnitten und am Ende der Garzeit dem Shrimpsgericht zugefügt.

Für 4 Personen

ZUTATEN

225 g Zucchini
3 EL Öl
2 Eier
225 g Möhren, gerieben
1 Zwiebel, in Ringen
150 g Bohnensprossen
225 g Shrimps, ausgelöst
2 EL Sojasauce
1 Prise Fünf-Gewürze-Pulver
25 g Erdnüsse, gehackt
2 EL frisch gehackter Koriander

1 Die Zucchini fein raspeln.

2 1 Esslöffel Öl in einen großen, vorgewärmten Wok geben.

3 Eier mit 2 Esslöffeln kaltem Wasser verquirlen. Mischung in den Wok gießen und 2–3 Minuten pfannenrühren, bis das Ei zu stocken beginnt.

4 Omelett herausnehmen und auf einem sauberen Küchenbrett zusammenklappen. In schmale Streifen schneiden und beiseite stellen.

5 Restliches Öl in den Wok geben. Möhren, Zwiebel und Zucchini zufügen und 5 Minuten pfannenrühren.

6 Bohnensprossen und Shrimps zugeben und 2 Minuten unter Rühren heiß werden lassen.

7 Sojasauce, Fünf-Gewürze-Pulver und Erdnüsse in den Wok geben, Omelettstreifen zufügen und alles erhitzen. Zum Servieren mit Koriander bestreuen.

TIPP

Durch Zufügen von Wasser (Schritt 3) wird das Omelett locker und leicht.

1

4

5

Krebsscheren mit Chili

Krebsscheren sind in der chinesischen Küche aufgrund ihres eindrucksvollen Aussehens sehr beliebt. Häufig werden sie wie hier einfach nur mit Chilisauce serviert.

Für 4 Personen

ZUTATEN

700 g Krebsscheren
1 EL Maiskeimöl
2 Knoblauchzehen, zerdrückt
1 EL frisch geraspelter Ingwer
3 rote Chilischoten, entkernt und fein gehackt
2 EL süße Chilisauce
3 EL Tomatenketchup
300 ml gekühlte Fischbrühe
1 EL Speisestärke
Salz und Pfeffer
1 EL frisch gehackter Schnittlauch, zum Garnieren

1 Krebsscheren vorsichtig mit einem Nussknacker anbrechen, damit das Fleisch später die Aromen der Zutaten annehmen kann.

2 Maiskeimöl in einem großen, vorgewärmten Wok erhitzen.

3 Krebsscheren in den Wok geben und 5 Minuten anbraten.

4 Knoblauch, Ingwer und Chillies in den Wok geben und 1 Minute pfannenrühren, dabei die Krebsscheren mehrmals wenden.

5 Chilisauce, Tomatenketchup, Fischbrühe und Speisestärke in einer kleinen Schüssel mischen.

6 Diese Mischung in den Wok geben und unter häufigem Rühren mitkochen, bis die Flüssigkeit einzudicken beginnt. Mit Salz und Pfeffer abschmecken.

7 Krebsscheren mit Chilisauce auf vorgewärmte Teller verteilen und mit reichlich gehacktem Schnittlauch bestreuen. Sofort servieren.

TIPP

Anstelle von Krebsscheren eignet sich auch ein in 8 Stücke zerteilter Taschenkrebs.

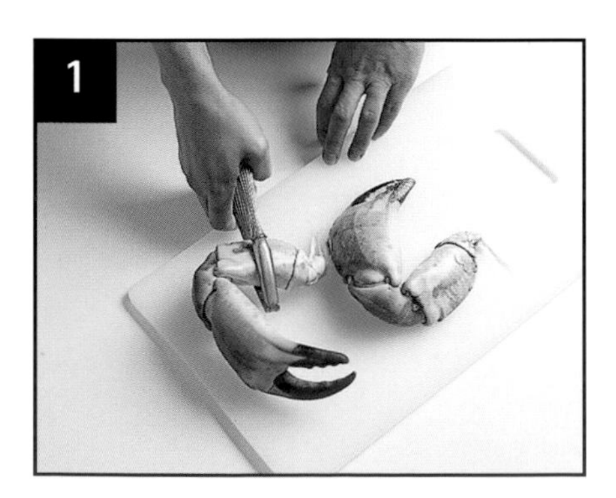
1

3

6

Chinakohl mit Shiitake-Pilzen und Krebsfleisch

Chinakohl und Krebsfleisch passen hervorragend zusammen, da sie beide ein sehr feines Aroma haben, das in diesem Rezept durch Kokosmilch bereichert wird.

Für 4 Personen

ZUTATEN

225 g Shiitake-Pilze
2 EL Öl
2 Knoblauchzehen, zerdrückt
6 Frühlingszwiebeln, in Ringen
1 Chinakohl, in Streifen geschnitten
1 EL milde Currypaste
6 EL Kokosmilch
200 g weißes Krebsfleisch aus der Dose, abgetropft
1 TL Chiliflocken

1 Pilze in feine Streifen schneiden.

2 Öl in einem großen, vorgewärmten Wok erhitzen.

3 Pilze und Knoblauch in den Wok geben und 3 Minuten pfannenrühren, bis die Pilze gar sind.

4 Frühlingszwiebeln und Chinakohlstreifen zufügen, weiterrühren, bis der Kohl zusammenfällt.

5 Currypaste und Kokosmilch in einer kleinen Schale mischen.

6 Die Mischung zusammen mit dem Krebsfleisch und den Chiliflocken in den Wok geben. Alles gut vermengen und nochmals bis zum Aufkochen der Flüssigkeit erhitzen.

7 Das fertige Gericht auf vorgewärmte Schalen verteilen und sofort servieren.

TIPP

Frische Shiitake-Pilze sind mittlerweile in fast allen großen Supermärkten erhältlich.

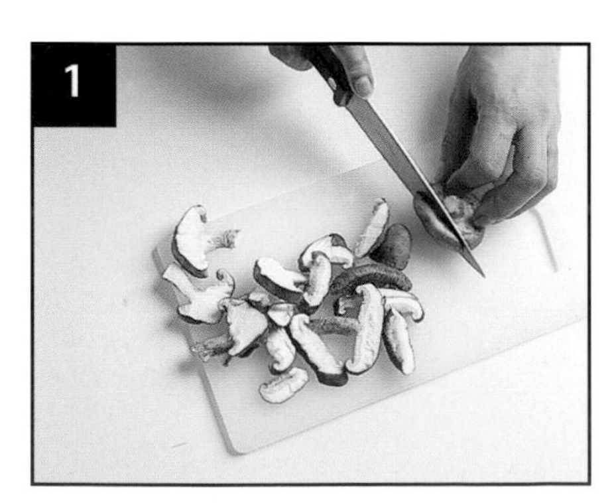
1

3

4

Pfannengerührter Blattsalat mit Muschelfleisch und Zitronengras

Die Vorbereitung der Muscheln ist aufwändig, dafür sind Muscheln schnell gar. Sie können hier sowohl frische als auch tiefgefrorene verwenden.

Für 4 Personen

ZUTATEN

1 kg Miesmuscheln mit Schale, geputzt
2 Stängel Zitronengras
2 EL Zitronensaft
100 ml Wasser
25 g Butter
1 Eisbergsalat
Zesten von 1 Zitrone
2 EL Austernsauce

1 Muscheln in eine große Kasserolle geben.

2 Das Zitronengras fein schneiden und mit Zitronensaft sowie Wasser über die Muscheln geben, abdecken und 5 Minuten garen, bis sich die Muscheln öffnen. Alle ungeöffneten Muscheln wegwerfen.

3 Mit einer Gabel das Muschelfleisch aus der Schale lösen.

4 Butter in einem großen, vorgewärmten Wok erhitzen.

5 Salat und Zitronenzesten in den Wok geben und 2 Minuten pfannenrühren, bis der Salat zusammenfällt.

6 Austernsauce zugießen, umrühren und erhitzen. Muschelfleisch unterheben und servieren.

TIPP

Zitronengras erinnert in Duft und Geschmack an Zitrusfrüchte, sieht wie eine Frühlingszwiebel aus und ist in der Thai-Küche sehr beliebt.

TIPP

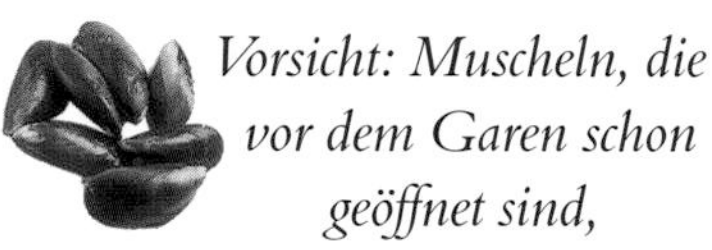

Vorsicht: Muscheln, die vor dem Garen schon geöffnet sind, wegwerfen – ebenso wie gegarte Muscheln, die geschlossen bleiben.

2

3

5

Muscheln in schwarzer Bohnenpaste mit Spinat

Dieses Gericht sieht so beeindruckend aus, dass es eigentlich zu schade ist, es aufzuessen!

Für 4 Personen

ZUTATEN

350 g Lauch
350 g Greenshell-Muscheln (oder große Miesmuscheln)
1 TL Kreuzkümmelsamen
2 EL Öl
2 Knoblauchzehen, zerdrückt
1 rote Paprika, entkernt und in Streifen geschnitten
50 g Bambussprossen aus der Dose, abgetropft
175 g junger Spinat
160 g schwarze Bohnenpaste

1 Lauch putzen und in Ringe schneiden.

2 Muscheln vorgaren, aus der Schale lösen und in einer großen Schüssel in Kreuzkümmelsamen wenden.

3 Öl in einem großen, vorgewärmten Wok erhitzen.

4 Lauch, Knoblauch und Paprika in den Wok geben und 5 Minuten pfannenrühren, bis das Gemüse gar ist.

5 Bambussprossen, Spinat und Muscheln in den Wok geben und 2 Minuten pfannenrühren.

6 Schwarze Bohnenpaste zugießen und gut mit den anderen Zutaten vermengen. Noch einige Sekunden köcheln lassen, dabei mehrmals umrühren.

7 Das fertige Gericht auf vorgewärmte Teller verteilen und sofort servieren.

TIPP

Greenshell-Muscheln gibt es tiefgefroren in den meisten asiatischen Lebensmittelläden zu kaufen.

1

4

5

Jakobsmuschel-Puffer

Jakobsmuscheln haben wie alle Muscheln eine geringe Garzeit. Dieses Rezept können Sie mit vielen verschiedenen Gemüsesorten variieren.

Für 4 Personen

ZUTATEN

100 g feine grüne Bohnen
1 rote Chilischote
450 g Jakobsmuscheln
1 Ei
3 Frühlingszwiebeln, in Ringen
50 g Reismehl
1 EL Fischsauce
Öl, zum Frittieren
süße Chilisauce, zum Dippen

1 Die Bohnen putzen und mit einem scharfen Messer in sehr kleine Stücke schneiden.

2 Die Chilischote entkernen und mit einem scharfen Messer sehr fein hacken.

3 Einen Topf mit leicht gesalzenem Wasser zum Kochen bringen. Grüne Bohnen hineingeben und 3–4 Minuten garen.

4 Muschelfleisch (ohne Rogen) in grobe Stücke schneiden und in eine große Schüssel geben. Gegarte Bohnen zufügen.

5 Ei, Frühlingszwiebeln, Reismehl, Fischsauce und Chili gründlich vermengen. Die Mischung zum Muschelfleisch geben und alles gut verrühren.

6 Einen großen, vorgeheizten Wok 2½ cm hoch mit Öl füllen. Eine Kelle Muschelmischung in den Wok geben und 5 Minuten goldbraun braten. Puffer herausnehmen und zum Abtropfen auf Küchenpapier legen. Mit dem Rest der Mischung ebenso verfahren.

7 Heiß mit der süßen Chilisauce servieren.

VARIATION

Eine gute Alternative zu den Jakobsmuscheln sind Shrimps und Venusmuscheln.

1

2

5

Jakobsmuscheln mit Buttersauce

In diesem Gericht wird das schmackhafte, weiße Fleisch der Jakobsmuschel mit einer Buttersauce serviert.

Für 4 Personen

ZUTATEN

450 g Jakobsmuscheln
6 Frühlingszwiebeln, geputzt
2 EL Öl
1 grüne Chilischote
3 EL süße Sojasauce
50 g Butter, in kleinen Würfeln

1 Jakobsmuscheln (ohne Rogen) unter fließendem Wasser säubern und mit Küchenpapier trockentupfen.

2 Jede Muschel mit einem scharfen Messer einmal horizontal durchschneiden.

3 Frühlingszwiebeln in Ringe schneiden, das Öl in einem großen, vorgewärmten Wok erhitzen.

4 Chilischote entkernen und in Ringe schneiden. Mit Frühlingszwiebeln und Muschelfleisch in den Wok geben und bei starker Hitze 4–5 Minuten braten, das Muschelfleisch muss gerade gar sein.

5 Sojasauce und Butter zufügen und erhitzen, bis die Butter zerläuft.

6 Das Gericht in vorgewärmte Schalen füllen und servieren.

TIPP

Zum Öffnen der Jakobsmuscheln mit einem scharfen Messer am Schalenrand entlang fahren, um den kräftigen Schließmuskel zu durchtrennen. Schwarzen Magensack und Darm entfernen.

TIPP

Tiefgefrorene Muscheln müssen vor dem Gebrauch vollständig aufgetaut werden. Sie dürfen nur kurz gegart werden, weil das Fleisch leicht zerfällt.

2

3

5

Austern mit Tofu, Zitrone und Koriander

Austern werden häufig roh geschlürft. Doch schmecken sie durchaus auch, wenn man sie kurz gart wie in diesem Rezept und mit Salz bestreut sowie Zitronensaft beträufelt.

Für 4 Personen

ZUTATEN

225 g Lauch
350 g Tofu
2 EL Sonnenblumenöl
350 g Austern mit Schale
2 EL frisch gepresster Zitronensaft
1 TL Speisestärke
2 EL helle Sojasauce
100 ml Fischbrühe
2 EL frisch gehackter Koriander
1 TL Zitronenzesten

1 Lauch putzen und mit einem scharfen Messer in Ringe schneiden.

2 Tofu in mundgerechte Stücke zerteilen.

3 Sonnenblumenöl in einem großen, vorgewärmten Wok erhitzen.

4 Lauchringe in den Wok geben und ca. 2 Minuten pfannenrühren.

5 Tofu und Austern zufügen und 1–2 Minuten weiterrühren.

6 Zitronensaft, Speisestärke, helle Sojasauce und Fischbrühe in einer kleinen Schüssel mischen.

7 Die Mischung in den Wok geben und unter gelegentlichem Rühren garen, bis die Flüssigkeit einzudicken beginnt.

VARIATION

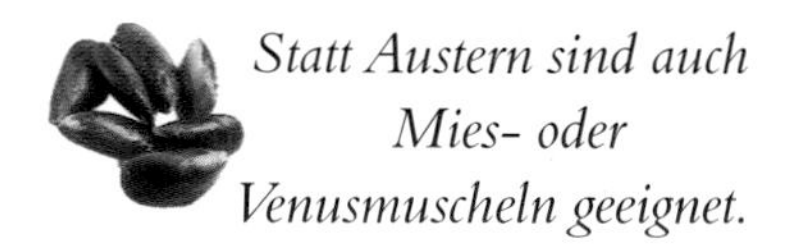

Statt Austern sind auch Mies- oder Venusmuscheln geeignet.

8 Das Gericht auf Schalen verteilen und mit Koriander und Zitronenzesten bestreuen. Sofort servieren.

1

2

6

Frittierter Kalmar

Kalmar ist in der chinesischen Küche sehr beliebt. Dabei wird der sackartige Körper sehr unterschiedlich, doch immer sehr dekorativ zugeschnitten.

Für 4 Personen

ZUTATEN

450 g Kalmar, gesäubert
25 g Speisestärke
1 TL Salz
1 TL frisch gemahlener schwarzer Pfeffer
1 TL Chiliflocken
Erdnussöl, zum Frittieren
Sauce nach Wahl, zum Dippen

1 Die Tentakeln des Kalmars abtrennen, den Körper säubern, an einer Seite aufschneiden und flach aufklappen.

2 Jeden Fleischlappen kreuzweise einritzen und in 4 Teile schneiden.

3 Speisestärke, Salz, Pfeffer und Chiliflocken mischen.

4 Die Mischung in einen großen Gefrierbeutel geben. Kalmarstreifen hineingeben und den Beutel kräftig durchschütteln, um das Fleisch gleichmäßig mit der Mischung zu tränken.

5 Etwa 5 cm hoch Erdnussöl in einen großen, vorgewärmten Wok geben und erhitzen.

6 Kalmar portionsweise in den Wok geben und jeweils ca. 2 Minuten frittieren, bis sich die Streifen aufwölben. Garzeit einhalten, sonst werden sie zäh.

7 Portionen mit einem Schaumlöffel herausnehmen und zum Abtropfen auf Küchenpapier legen.

8 Auf Teller verteilen und sofort servieren. Dazu einen Dip reichen.

TIPP

Statt frischen Kalmar kann man auch tiefgefrorenen verwenden. In der Regel ist dieser schon gesäubert und gebrauchsfertig. Vor der Verarbeitung muss er aber vollständig aufgetaut werden.

1

2

4

Tintenfischringe mit grüner Paprika und schwarzer Bohnenpaste

Dieses Gericht ist binnen weniger Minuten zubereitet. Tintenfischringe gibt es überall küchenfertig zu kaufen.

Für 4 Personen

ZUTATEN

450 g Tintenfischringe
2 EL Mehl
1/2 TL Salz
1 grüne Paprika
2 EL Erdnussöl
1 rote Zwiebel, in Ringen
160 g schwarze Bohnenpaste

1 Tintenfischringe unter fließendem Wasser säubern und mit Küchenpapier trockentupfen.

2 Mehl und Salz in eine Schale geben und vermengen. Tintenfischringe gründlich in der Mischung wenden.

3 Paprikaschote entkernen und mit einem scharfen Messer in schmale Streifen schneiden.

4 Erdnussöl in einem großen, vorgewärmten Wok erhitzen.

5 Paprika und Zwiebel hineingeben, ca. 2 Minuten pfannenrühren, bis das Gemüse fast gar ist.

6 Tintenfischringe in den Wok geben und 5 Minuten weiterrühren, bis der Tintenfisch gar ist.

7 Schwarze Bohnenpaste zufügen und bis zum Aufkochen erhitzen. Dann auf vorgewärmte Schalen verteilen und sofort servieren.

TIPP

Als Beilage: gebratener Reis oder gebratene Nudeln, in Sojasauce geschwenkt.

Vegetarische Gerichte

Gemüse spielt in der asiatischen Küche eine so wichtige Rolle, weil die Natur diesem Teil der Welt eine unglaubliche Fülle unterschiedlichster Gemüsesorten beschert. Zutaten wie Tofu (Sojabohnenquark) bereichern die gesunde und auch preiswerte vegetarische Kost. Hergestellt wird Tofu aus der Sojabohne, die in Asien reichlich angebaut wird. Er ist häufig Bestandteil pfannengerührter Gerichte, macht sie gehaltvoller und harmoniert mit allen anderen Geschmacksnoten.

Für Gemüsegerichte ist der Wok hervorragend geeignet, weil er ein sehr rasches Garen ohne nennenswerten Verlust an Nährstoffen und Frische erlaubt, wovon viele aromatische Gerichte profitieren – einige der hier vorgestellten eignen sich gut als Beilagen, während andere, etwa Gemüsecurrys, äußerst gehaltvolle Hauptmahlzeiten ergeben.

Das folgende Kapitel gestattet einen Einblick in die einzigartige Vielfalt der Gemüseküche, die nicht nur Vegetariern, sondern auch Fleischliebhabern etwas zu bieten hat.

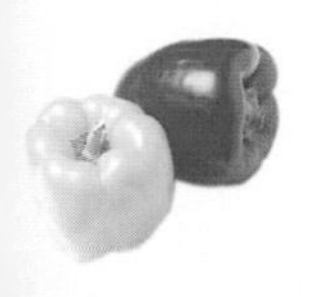

Japanische Nudeln mit Pilzen

Dies ist ein schnelles Gericht, ideal für die Mittagszeit, mit gemischten Pilzen und Chinakohl.

Für 4 Personen

ZUTATEN

250 g Udon-Nudeln
2 EL Sonnenblumenöl
1 rote Zwiebel, in Ringen
1 Knoblauchzehe, zerdrückt
450 g Mischpilze (Shiitake, Austernpilze, braune Champignons)
350 g Pak Choi oder Chinakohl
2 EL süßer Sherry
6 EL Sojasauce
4 Frühlingszwiebeln, in Ringen
1 EL Sesamsaat, geröstet

1 Die Nudeln in eine große Schale geben. Mit kochendem Wasser übergießen, sodass sie bedeckt sind. 10 Minuten einweichen lassen.

2 Sonnenblumenöl in einem großen, vorgewärmten Wok erhitzen.

3 Rote Zwiebeln und Knoblauch in den Wok geben und 2–3 Minuten pfannenrühren.

4 Pilze zufügen und ca. 5 Minuten weiterrühren, bis sie gar sind.

5 Nudeln gründlich abtropfen lassen.

6 Pak Choi oder Chinakohl, Nudeln, süßen Sherry und Sojasauce in den Wok geben. Alle Zutaten vermischen und 2–3 Minuten pfannenrühren, bis die Flüssigkeit aufkocht.

7 Nudeln mit Pilzen in vorgewärmte Schalen geben, mit Frühlingszwiebeln und gerösteter Sesamsaat bestreuen und sofort servieren.

TIPP

Das Angebot an exotischen Speisepilzen ist mittlerweile recht groß. Falls Sie die Pilze nicht finden, können Sie auch Champignons mit gewölbten oder flachen Hüten verwenden.

3

4

6

Gebratenes Gemüse mit Sherry und Sojasauce

Dieses einfache Gericht eignet sich als kleine Zwischenmahlzeit oder als Beilage zu einem Hauptgericht.

Für 4 Personen

ZUTATEN

2 EL Sonnenblumenöl
1 rote Zwiebel, in Ringen
175 g Möhren, in Scheiben
175 g Zucchini, diagonal in Scheiben geschnitten
1 rote Paprika, entkernt und in Streifen geschnitten
1 kleiner Chinakohl, in Streifen geschnitten
150 g Bohnensprossen
225 g Bambussprossen, abgetropft
150 g Cashewkerne, geröstet

SAUCE:
3 EL Sherry (Medium)
3 EL helle Sojasauce
1 TL gemahlener Ingwer
1 Knoblauchzehe, zerdrückt
1 TL Speisestärke
1 EL Tomatenmark

1 Sonnenblumenöl in einem großen, vorgewärmten Wok erhitzen.

2 Rote Zwiebel in den Wok geben und 2–3 Minuten pfannenrühren, bis sie fast gar ist.

3 Möhren, Zucchini und Paprikastreifen zufügen und weitere 5 Minuten pfannenrühren.

4 Chinakohl, Bohnen- und Bambussprossen ebenfalls in den Wok geben und 2–3 Minuten mitgaren, bis der Chinakohl zusammenfällt.

5 Cashewkerne über das Gemüse streuen.

6 Sherry, Sojasauce, Ingwer, Knoblauch, Speisestärke und Tomatenmark mischen.

7 Die Mischung über das Gemüse geben und gut vermengen. 2–3 Minuten köcheln lassen, bis der Saft einzudicken beginnt. Sofort servieren.

TIPP

Nach diesem vielseitigen Rezept können Sie alle möglichen frischen Gemüse zubereiten.

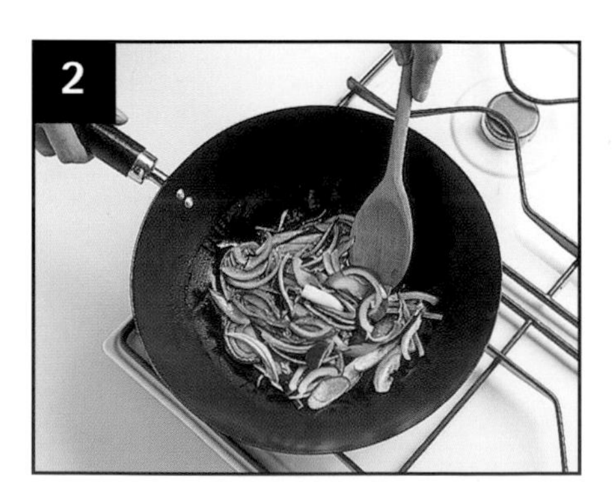
2

3

4

Pak Choi mit roten Zwiebeln und Cashewkernen

Pflaumensauce wird aus Pflaumen, Essig, Zucker, Zwiebeln, Wein und Gewürzen hergestellt und ist in asiatischen Lebensmittelläden erhältlich.

Für 4 Personen

ZUTATEN

2 EL Erdnussöl
2 rote Zwiebeln, in dünne Spalten geschnitten
175 g Rotkohl, in feine Streifen geschnitten
225 g Pak Choi
2 EL Pflaumensauce
100 g Cashewkerne, geröstet

1 Erdnussöl in einem großen, vorgewärmten Wok erhitzen.

2 Zwiebeln in den Wok geben und ca. 5 Minuten pfannenrühren, bis sie zu bräunen beginnen.

3 Rotkohl zufügen und weitere 2–3 Minuten pfannenrühren.

4 Pak Choi ebenfalls in den Wok geben und erneut 5 Minuten rühren, bis die Blätter zusammenfallen.

5 Pflaumensauce über das Gemüse träufeln, gut vermengen und weiter garen, bis die Flüssigkeit aufkocht.

6 Das Gericht mit Cashewkernen bestreuen und auf die vorgewärmten Schalen verteilen. Sofort servieren.

TIPP

Pflaumensauce hat einen unverwechselbaren Fruchtgeschmack – süß und doch fein säuerlich.

VARIATION

Statt Cashewkernen sind auch ungesalzene Erdnüsse geeignet.

2

3

4

Tofu mit Sojasauce, grüner Paprika und knusprigen Zwiebelringen

Tofu eignet sich vorzüglich zum Marinieren, da er andere Aromen sehr gut annimmt. Daher wird er in der chinesischen Küche häufig für geschmackvolle Hauptgerichte verwendet.

Für 4 Personen

ZUTATEN

350 g Tofu
2 Knoblauchzehen, zerdrückt
4 EL Sojasauce
1 EL süße Chilisauce
6 EL Sonnenblumenöl
1 Zwiebel, in Ringen
1 EL Sesamöl
1 grüne Paprika, entkernt und gewürfelt

1 Tofu mit einem scharfen Messer in mundgerechte Stücke schneiden und in eine flache metallfreie Schale geben.

2 Knoblauch, Sojasauce und süße Chilisauce gut mischen und über den Tofu geben. Dann die Tofustücke darin wenden, bis sie gleichmäßig mit Sauce überzogen sind. Ca. 20 Minuten marinieren.

3 In der Zwischenzeit Sonnenblumenöl in einem großen, vorgewärmten Wok erhitzen.

4 Zwiebelringe im Wok bei starker Hitze rasch braun und knusprig braten. Mit einem Schaumlöffel herausnehmen und auf Küchenpapier abtropfen lassen.

5 Tofu in das heiße Öl geben und ca. 5 Minuten braten.

6 Alle Zutaten aus dem Wok nehmen, dann in Sesamöl die Paprika 2–3 Minuten pfannenrühren, bis sie gar ist.

7 Tofu und Zwiebeln wieder in den Wok geben und mitgaren.

8 Das fertige Gericht mit Sesamöl beträufeln und auf Teller verteilen. Heiß servieren.

TIPP

Für die Blitzküche können Sie auch marinierten Tofu im Fachgeschäft kaufen.

2

4

7

Grüne Bohnen mit Eisbergsalat und schwarzer Bohnenpaste

Eine köstliche Beilage aus grünen Bohnen, Shiitake-Pilzen und Eisbergsalat, gewürzt mit Bohnensauce.

Für 4 Personen

ZUTATEN

1 TL Chiliöl
25 g Butter
225 g feine grüne Bohnen, geschnitten
4 Schalotten, in Ringen
1 Knoblauchzehe, zerdrückt
100 g Shiitake-Pilze, in Scheiben geschnitten
1 Eisbergsalat, in schmale Streifen geschnitten
4 EL schwarze Bohnenpaste

1 Chiliöl und Butter in einem vorgewärmten Wok erhitzen.

2 Bohnen, Schalotten, Knoblauch und Pilze zugeben und 2–3 Minuten pfannenrühren.

3 Salat zufügen und rühren, bis die Blätter zusammenfallen.

4 Schwarze Bohnenpaste unter die Mischung rühren. Unter häufigem Wenden gründlich erhitzen, bis die Flüssigkeit aufkocht. Sofort servieren.

TIPP

Für die schwarze Bohnenpaste: 60 g getrocknete schwarze Bohnen über Nacht in kaltem Wasser einweichen. Abtropfen lassen, dann 10 Minuten kochen. Abgetropft in 450 ml Gemüsebrühe mit je 1 Esslöffel Malzessig, Sojasauce, Zucker, 1 1/2 Teelöffel Speisestärke, 1 gehackten roten Chili und 1 kleinem Stück Ingwer 40 Minuten köcheln lassen.

TIPP

Möglichst die zarten chinesischen grünen Bohnen verwenden. Sie sind in asiatischen Lebensmittelläden erhältlich.

Frittierte Zucchini

Die frittierten Zucchinistifte sind unwiderstehlich und eignen sich – serviert mit einer Chilisauce – vorzüglich als Vorspeise oder Zwischenmahlzeit.

Für 4 Personen

ZUTATEN

450 g Zucchini
1 Eiweiß
50 g Speisestärke
1 TL Salz
1 TL Fünf-Gewürze-Pulver
Öl, zum Frittieren

1 Zucchini mit einem scharfen Messer in Scheiben oder dicke Stifte schneiden.

2 Eiweiß in eine kleine Schüssel geben. Mit einer Gabel leicht verquirlen, bis es schaumig ist.

3 Speisestärke, Salz und Fünf-Gewürze-Pulver gut vermischen und auf einen großen Teller streuen.

4 Frittieröl in einem großen, vorgewärmten Wok erhitzen.

5 Jedes Zucchinistück in das verquirlte Eiweiß tauchen und anschließend in der gewürzten Speisestärke wenden.

6 Zucchini portionsweise in den Wok geben und jeweils ca. 5 Minuten frittieren, bis sie goldgelb und knusprig sind.

7 Zucchini mit dem Schaumlöffel herausnehmen und auf Küchenpapier abtropfen lassen.

8 Auf Teller verteilen und heiß servieren.

VARIATION

Mit Chili- oder Currypulver können Sie individuelle Geschmacksvarianten erzielen.

1

2

5

Frittierte Chili-Mais-Bällchen

Diese kleinen Chili-Mais-Bällchen haben ein wunderbares süß-saures Aroma, das durch Koriander vorzüglich abgerundet wird.

Für 4 Personen

ZUTATEN

3 EL grob gehackter frischer Koriander
225 g Mais aus der Dose, abgetropft
6 Frühlingszwiebeln, in Ringen
1 TL mildes Chilipulver
1 EL süße Chilisauce
25 g Kokosraspel
1 Ei
75 g Maismehl
Öl, zum Frittieren
süße Chilisauce, zum Dippen

1 Koriander, Mais, Frühlingszwiebeln, Chilipulver, Chilisauce, Kokosraspel, Ei und Maismehl in einer großen Schüssel verrühren. Zugedeckt ca. 10 Minuten ruhen lassen.

2 Frittieröl in einem großen, vorgewärmten Wok erhitzen.

3 Die Chili-Maismehl-Mischung löffelweise in das heiße Öl geben und 4–5 Minuten ausbacken. Die Bällchen sollen knusprig und goldbraun sein.

4 Chili-Mais-Bällchen mit dem Schaumlöffel aus dem Wok nehmen und auf Küchenpapier gut abtropfen lassen.

5 Auf Tellern angerichtet mit süßer Chilisauce zum Dippen servieren.

TIPP

Bei einem Wok mit nach außen gewölbtem Boden sorgt ein spezieller Untersatz für die nötige Stabilität. Den Wok nur bis zur Hälfte mit Öl füllen und beim Kochen niemals unbeaufsichtigt lassen.

TIPP

Maismehl wird aus vermahlenem Maiskorn hergestellt. Es ist in Naturkostläden und großen Supermärkten erhältlich.

Teigpäckchen mit Spargel und Paprika

Die Teigpäckchen eignen sich hervorragend als Beilage zu einem Hauptgericht oder als kleiner Snack, serviert mit Pflaumensauce zum Dippen.

Für 4 Personen

ZUTATEN

100 g Spargelspitzen
1 rote Paprika, entkernt und in schmale Streifen geschnitten
50 g Bohnensprossen
2 EL Pflaumensauce
8 Blatt Frühlingsrollen-Teig
1 Eigelb, verquirlt
Öl, zum Frittieren

1 Spargel, Paprika und Bohnensprossen in eine große Schüssel geben.

2 Pflaumensauce über das Gemüse träufeln und alles gut vermengen.

3 Je 1 Teigblatt auf eine saubere Arbeitsfläche legen.

4 Jeweils 1 Portion der Gemüsemischung auf 1 Teigblatt setzen. Die Teigränder mit etwas Eigelb bestreichen.

5 Das Teigblatt aufrollen und die Enden wie bei einer Frühlingsrolle einschlagen. Teig und Gemüsemischung auf diese Weise komplett verarbeiten.

6 Frittieröl in einem großen, vorgewärmten Wok erhitzen.

7 Jeweils 2 Teigpäckchen 4–5 Minuten darin vorsichtig knusprig backen.

8 Teigpäckchen mit einem Schaumlöffel herausnehmen und auf Küchenpapier abtropfen lassen.

9 Auf vorgewärmten Tellern anrichten und heiß servieren.

TIPP

Wir wählen hier Spargelspitzen, weil sie weitaus zarter sind als die unteren Teile.

Möhren mit Orangen

Möhren und Orangen werden in der orientalischen Küche schon seit jeher kombiniert. Der Orangensaft unterstreicht die süßliche Note der Möhren.

Für 4 Personen

ZUTATEN

2 EL Sonnenblumenöl
450 g Möhren, geraspelt
225 g Lauch, in Streifen geschnitten
2 Orangen, geschält und zerteilt
2 EL Tomatenketchup
1 EL Farin-Zucker
2 EL helle Sojasauce
100 g Erdnüsse, gehackt

1 Sonnenblumenöl in einem großen, vorgewärmten Wok erhitzen.

2 Möhren und Lauch zufügen und 2–3 Minuten pfannenrühren, bis das Gemüse gar, aber noch bissfest ist.

3 Orangenstücke in den Wok geben und vorsichtig mitgaren. Beim Rühren darauf achten, dass sie nicht zerfallen.

4 Tomatenketchup, Farin-Zucker und Sojasauce in eine Schale geben und gut mischen.

5 Die Mischung in den Wok geben und weitere 2 Minuten rühren.

6 Pfannengemüse in vorgewärmte Schalen verteilen und mit gehackten Erdnüssen garnieren. Sofort servieren.

VARIATION

Die Orangen können Sie durch Ananas ersetzen. Bei Dosenware nur Ananas im eigenen Saft nehmen, weil künstliche Süße dem Gericht die Frische nimmt.

VARIATION

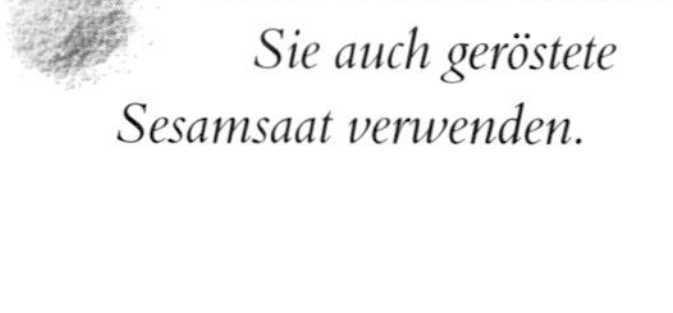

Statt Erdnüsse können Sie auch geröstete Sesamsaat verwenden.

2

3

4

Spinat und Shiitake mit Honig

Dieses Pfannengericht passt vorzüglich zu Tofuspeisen. Es ist sehr schnell und einfach zuzubereiten.

Für 4 Personen

ZUTATEN

3 EL Erdnussöl
350 g Shiitake-Pilze, in Scheiben geschnitten
2 Knoblauchzehen, zerdrückt
350 g junger Blattspinat
2 EL trockener Sherry
2 EL klarer Honig
4 Frühlingszwiebeln, in Ringen

1 Erdnussöl in einem großen, vorgewärmten Wok erhitzen.

2 Shiitake-Pilze in den Wok geben und in ca. 5 Minuten unter schnellem Rühren garen.

3 Knoblauch und Blattspinat zufügen und weitere 2–3 Minuten pfannenrühren, bis die Spinatblätter zusammenfallen.

4 Sherry und Honig in einer kleinen Schüssel gut mischen.

5 Diese Mischung über den Spinat träufeln und mitgaren.

6 Das Pfannengemüse auf vorgewärmte Teller verteilen und mit Frühlingszwiebelringen bestreuen. Heiß servieren.

TIPP

Das Rezept verlangt einen guten trockenen Sherry, von süßem ist abzuraten. In der asiatischen Küche wird meist Reiswein verwendet, aber Sherry ist ein guter Ersatz.

TIPP

Muskatnuss bildet mit Spinat eine klassische Kombination. Fügen Sie in Schritt 3 eine Prise Muskatnuss hinzu.

Chinesischer Gemüsereis

Dieser Reis kann entweder als leichtes Mahl serviert werden oder zusammen mit anderen Gemüsegerichten als Beilage.

Für 4 Personen

ZUTATEN

350 g Langkornreis
1 TL Kurkuma
2 EL Sonnenblumenöl
225 g Zucchini, in Scheiben
1 rote Paprika, entkernt und in Streifen geschnitten
1 grüne Paprika, entkernt und in Streifen geschnitten
1 grüne Chilischote, entkernt und fein gehackt
1 mittelgroße Möhre, grob geraspelt
150 g Bohnensprossen
6 Frühlingszwiebeln, in Ringen
2 EL Sojasauce
zusätzliche Frühlingszwiebeln, in Ringen, zum Garnieren

1 Reis und Kurkuma in leicht gesalzenem Wasser zum Kochen bringen. Hitze reduzieren und den Reis köcheln lassen, bis er gar ist. Dann gründlich abspülen, auf eine doppelte Lage Küchenpapier geben und Restwasser herausdrücken.

2 Sonnenblumenöl in einem großen, vorgewärmten Wok erhitzen.

3 Zucchini in den Wok geben und ca. 2 Minuten pfannenrühren.

4 Paprika und Chili zufügen und weitere 2–3 Minuten rühren.

5 Nach und nach den gekochten Reis zum Gemüse geben und gründlich vermengen.

6 Möhre, Bohnensprossen und Frühlingszwiebeln in den Wok geben und weitere 2–3 Minuten rühren. Mit Sojasauce beträufeln und, mit Frühlingszwiebelringen garniert, sofort heiß servieren.

VARIATION

Statt Kurkuma einige in kochendem Wasser eingeweichte Safranfäden verwenden.

1

4

5

Gemüsepfanne mit Hoisinsauce

Diese Gemüsepfanne enthält Reis und kann daher als vollwertige Hauptmahlzeit serviert werden.

Für 4 Personen

ZUTATEN

2 EL Sonnenblumenöl
1 rote Zwiebel, in Ringen
100 g Möhren, in Scheiben geschnitten
1 gelbe Paprika, entkernt und in Würfel geschnitten
50 g Naturreis, gekocht
175 g Zuckererbsen
175 g Bohnensprossen
4 EL Hoisinsauce
1 EL frische Schnittlauchröllchen

1 Sonnenblumenöl in einem großen, vorgewärmten Wok erhitzen.

2 Zwiebelringe, Möhren und Paprika in den Wok geben und ca. 3 Minuten pfannenrühren.

3 Naturreis, Zuckererbsen und Bohnensprossen zugeben und weitere 2 Minuten rühren.

4 Hoisinsauce einrühren, alles gründlich mischen und erneut erhitzen.

5 Auf vorgewärmte Essteller verteilen und mit frischem Schnittlauch bestreuen. Sofort servieren.

VARIATION

Für dieses Rezept ist fast jedes Gemüse geeignet – z. B. Brokkoli, junge Maiskolben, grüne Erbsen, Chinakohl und junger Blattspinat. Helle oder dunkle Champignons (oder Austernpilze) sorgen für eine interessante Optik. Versuchen Sie, eine breite Farbenpalette zu schaffen.

TIPP

Hoisinsauce ist in der chinesischen Küche sehr populär. Die dunkle, rötlich-braune Sauce wird aus Sojabohnen, Knoblauch, Chili und verschiedenen anderen Gewürzen hergestellt. Sie dient auch als Dip.

2

3

4

Blumenkohlpfanne süß-sauer mit Koriander

Obwohl süß-saure Saucen hauptsächlich für Schweinefleisch verwendet werden, passen sie durchaus auch zu Gemüsegerichten.

Für 4 Personen

ZUTATEN

450 g Blumenkohlröschen
2 EL Sonnenblumenöl
1 Zwiebel, in Ringen
225 g Möhren, in Scheiben
100 g Zuckererbsen
1 reife Mango, in Scheiben geschnitten
100 g Bohnensprossen
3 EL grob gehackter frischer Koriander
3 EL frischer Limettensaft
1 EL klarer Honig
6 EL Kokosmilch

1 Wasser in einem Topf zum Kochen bringen. Blumenkohl hineingeben und 2 Minuten garen. Anschließend gut abtropfen.

2 Sonnenblumenöl in einem vorgewärmten Wok erhitzen.

3 Zwiebel und Möhren in den Wok geben und ca. 5 Minuten pfannenrühren.

4 Blumenkohl und Zuckererbsen zufügen und 2–3 Minuten pfannenrühren.

5 Mango und Bohnensprossen in den Wok geben und ca. 2 Minuten rühren.

6 Koriander, Limettensaft, Honig und Kokosmilch in einer Schüssel mischen.

7 Die Mischung in den Wok gießen und ca. 2 Minuten weiterrühren, bis die Flüssigkeit aufkocht.

8 Das fertige Gericht auf Teller verteilen und heiß servieren.

VARIATION

Probieren Sie anstelle von Blumenkohl einmal Brokkoli.

1

4

6

Brokkoli und Chinakohl mit schwarzer Bohnenpaste

Die schwarze Bohnenpaste in diesem Rezept unterstreicht den Geschmack des Brokkoli vorzüglich, und die Mandeln verleihen dem Gericht Biss.

Für 4 Personen

ZUTATEN

450 g Brokkoliröschen
2 EL Sonnenblumenöl
1 Zwiebel, in Ringen
2 Knoblauchzehen, in dünne Scheiben geschnitten
25 g gehobelte Mandeln
1 Kopf Chinakohl, in Streifen geschnitten
4 EL schwarze Bohnenpaste

1 Wasser in einem großen Topf zum Kochen bringen. Brokkoli hineingeben und 1 Minute garen. Herausnehmen und gründlich abtropfen.

2 In der Zwischenzeit Sonnenblumenöl in einem großen, vorgewärmten Wok erhitzen.

3 Zwiebel und Knoblauch in den Wok geben und unter Rühren anbräunen.

4 Brokkoli und Mandeln zufügen und 3 Minuten anbraten.

5 Chinakohl zufügen und 2 Minuten weiterrühren.

6 Schwarze Bohnenpaste unter das Gemüse rühren, mehrmals wenden und so lange garen, bis die Flüssigkeit aufkocht.

7 Das Gemüse auf vorgewärmte Schalen verteilen und heiß servieren.

VARIATION

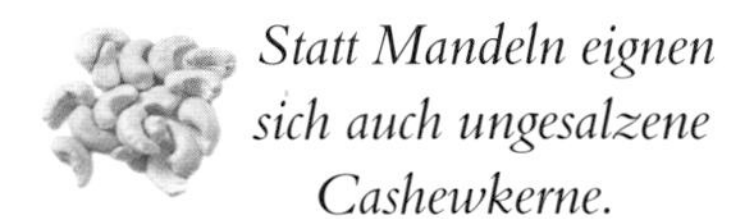

Statt Mandeln eignen sich auch ungesalzene Cashewkerne.

Chinesische Pilze mit frittiertem Tofu

Chinesische Pilze sind in asiatischen Lebensmittelläden erhältlich. Sie geben den Gerichten ein einzigartiges Aroma.

Für 4 Personen

ZUTATEN

25 g chinesische Pilze
450 g Tofu
25 g Speisestärke
Öl, zum Frittieren
2 Knoblauchzehen, fein gehackt
2½-cm-Stück Ingwer, geraspelt
100 g Erbsen, frisch oder tiefgefroren

1 Die Pilze in eine große Schüssel geben. Mit kochendem Wasser bedecken und ca. 10 Minuten einweichen lassen.

2 Tofu inzwischen mit einem scharfen Messer in mundgerechte Stücke schneiden.

3 Speisestärke in eine Schale füllen.

4 Tofuwürfel rundum gleichmäßig in der Speisestärke wenden.

5 Frittieröl in einem großen, vorgewärmten Wok erhitzen.

6 Tofuwürfel portionsweise im Wok 2–3 Minuten frittieren, bis sie goldbraun und knusprig sind. Dann mit dem Schaumlöffel herausheben und auf Küchenpapier abtropfen lassen.

7 Öl bis auf 2 Esslöffel aus dem Wok abgießen. Knoblauch, Ingwer und Chinapilze hineingeben und 2–3 Minuten pfannenrühren.

8 Zuerst den Tofu, dann die Erbsen in den Wok geben. 1 Minute mitgaren und heiß servieren.

TIPP

Marinierter Tofu ist geschmacksintensiver als naturbelassener.

Spaghettikürbis mit Cashewkernen und Koriander

Spaghettikürbis hat einen nussigen Geschmack. Falls keiner erhältlich ist, können Sie stattdessen Süßkartoffeln verwenden.

Für 4 Personen

ZUTATEN

1 kg Spaghettikürbis, geschält
3 EL Erdnussöl
1 Zwiebel, in Ringen
2 Knoblauchzehen, zerdrückt
1 TL Koriandersamen
1 TL Kreuzkümmel
2 EL grob gehackter Koriander
150 ml Kokosmilch
100 ml Wasser
100 g gesalzene Cashewkerne

GARNIERUNG:
frisch geriebene Limettenschale
frischer Koriander
Limettenspalten

1 Kürbis in kleine mundgerechte Stücke schneiden.

2 Erdnussöl in einem großen, vorgewärmten Wok erhitzen.

3 Kürbis, Zwiebel und Knoblauch zugeben und 5 Minuten pfannenrühren.

4 Koriandersamen, Kreuzkümmel und frischen Koriander zufügen und 1 Minute rühren.

5 Kokosmilch und Wasser zugeben und zum Kochen bringen. Die Kürbisstücke zugedeckt 10–15 Minuten weich garen.

6 Cashewkerne gründlich unterrühren.

7 Gemüse in vorgewärmte Schalen geben und mit Limettenschale, frischem Koriander und Limettenspalten garnieren. Heiß servieren.

TIPP

Anstelle von Kokosmilch in Schritt 5 etwas Kokospaste mit dem Wasser einrühren.

Ingwer-Sojafleisch mit Mischgemüse

Sojafleisch nimmt wie Tofu alle Aromen eines Gerichtes auf und ist daher ideal für geschmackvolle chinesische Mahlzeiten wie diese.

Für 4 Personen

ZUTATEN

1 EL frisch geraspelter Ingwer
1 TL Ingwerpulver
1 EL Tomatenmark
2 EL Sonnenblumenöl
1 Knoblauchzehe, zerdrückt
2 EL Sojasauce
350 g Sojafleisch, gewürfelt
225 g Möhren, in Scheiben geschnitten
100 g grüne Bohnen, in Stücken
4 Selleriestangen, in Ringen
1 rote Paprika, entkernt und in Streifen geschnitten
gekochter Reis, als Beilage

1 Ingwer, Ingwerpulver, Tomatenmark, 1 Esslöffel Sonnenblumenöl, Knoblauch, Sojasauce und Sojafleisch in eine große Schüssel geben. Gut vermengen, aber behutsam, damit die Sojafleischwürfel nicht zerfallen. Zugedeckt 20 Minuten marinieren.

2 Restliches Sonnenblumenöl in einem großen, vorgewärmten Wok erhitzen.

3 Das marinierte Sojafleisch in den Wok geben und 2 Minuten kurz anbraten.

4 Möhren, Bohnen, Sellerie und Paprika zufügen und 5 Minuten unter Rühren mitgaren.

5 Pfannengericht auf vorgewärmte Schalen verteilen und sofort mit frisch gekochtem Reis servieren.

TIPP

Kühl und trocken gelagert hält sich Ingwer mehrere Wochen lang. Tiefgefroren kann man nach Bedarf Stücke abbrechen.

VARIATION

Tofu ist eine gute Alternative zum Sojafleisch.

Lauch mit Babymais und gelber Bohnenpaste

Dieses schnell zubereitete Gericht ist ideal als Beilage zu einer anderen vegetarischen Mahlzeit.

Für 4 Personen

ZUTATEN

3 EL Erdnussöl
450 g Lauch, in Ringen
225 g Chinakohl, in Streifen
175 g Babymaiskolben, halbiert
6 Frühlingszwiebeln, in Ringen
4 EL gelbe Bohnenpaste

1 Erdnussöl in einem großen, vorgewärmten Wok erhitzen.

2 Lauch, Chinakohl und Mais in den Wok geben und bei starker Hitze ca. 5 Minuten scharf braten, bis die Gemüse bräunen.

3 Frühlingszwiebeln zufügen und gut verrühren.

4 Gelbe Bohnenpaste zugeben und unter schnellem Rühren 2 Minuten mitgaren.

5 Auf vorgewärmte Schalen verteilen und sofort servieren.

TIPP

Gelbe Bohnenpaste macht chinesische Gerichte authentisch. Gesalzene Sojabohnen werden zermahlen und mit Mehl und Gewürzen zu einer dicken Paste verarbeitet, die mit vielen Gemüsearten harmoniert.

TIPP

Babymais ist besonders süß und zart im Geschmack und daher bestens für Wokgerichte geeignet.

Gemüsepfanne

Ein praktisches Rezept, wenn Sie in Eile sind – mit frischem Basilikum und Tomaten.

Für 4 Personen

ZUTATEN

3 EL Olivenöl
8 Zwiebeln, halbiert
1 Aubergine, gewürfelt
225 g Zucchini, in Scheiben
225 g Portobello-Pilze, halbiert
2 Knoblauchzehen, zerdrückt
400 g Tomaten aus der Dose, gehackt
2 EL Tomatenpaste aus getrockneten Tomaten
frisch gemahlener schwarzer Pfeffer
frische Basilikumblätter, zum Garnieren

1 Olivenöl in einem großen, vorgewärmten Wok erhitzen.

2 Zwiebeln und Aubergine in den Wok geben und 5 Minuten pfannenrühren, bis das Gemüse goldbraun, aber noch bissfest ist.

3 Zucchini, Pilze, Knoblauch, Tomaten und Tomatenpaste zufügen und ca. 5 Minuten weiterrühren. Bei reduzierter Hitze 10 Minuten köcheln lassen.

4 Mit frisch gemahlenem schwarzen Pfeffer bestreuen und mit frischen Basilikumblättern garnieren. Sofort servieren.

TIPP

Der Wok ist für die vegetarische Küche ideal. Zahllose Gerichte lassen sich im Wok schnell zubereiten, und das Gemüse bleibt knackig und aromatisch. Alle Zutaten sollten in gleich große Stücke zerkleinert werden. Je mehr Schnittflächen, desto kürzer die Garzeit.

VARIATION

Für einen Hauptgang: in Schritt 3 Tofuwürfel zufügen.

Dreierlei Paprika mit Kastanien und Knoblauch

Ein buntes Gericht mit verschiedenfarbigen Paprikaschoten, das von knusprigen Lauchstreifen gekrönt wird.

Für 4 Personen

ZUTATEN

225 g Lauch
Öl, zum Frittieren
3 EL Erdnussöl
1 gelbe Paprika, entkernt und in Würfel geschnitten
1 grüne Paprika, entkernt und in Würfel geschnitten
1 rote Paprika, entkernt und in Würfel geschnitten
200 g Wasserkastanien aus der Dose, abgetropft und in Scheiben geschnitten
2 Knoblauchzehen, zerdrückt
3 EL helle Sojasauce

1 Lauch mit einem scharfen Messer in feine Streifen schneiden.

2 Frittieröl im Wok erhitzen und den Lauch darin 2–3 Minuten anbraten. Die knusprigen Lauchstreifen beiseite stellen.

3 Erdnussöl im Wok erhitzen.

4 Die Paprikawürfel zugeben und bei starker Hitze ca. 5 Minuten unter schnellem Rühren garen, bis sie angebräunt sind.

5 Wasserkastanien, Knoblauch und die helle Sojasauce untermischen und weitere 2–3 Minuten pfannenrühren.

6 Paprikagemüse auf vorgewärmte Teller geben.

7 Das fertige Gericht mit den gebratenen Lauchstreifen garnieren.

VARIATION

Mit 1 Esslöffel Hoisinsauce in Schritt 5 wird dieses Gericht noch würziger und aromatischer.

Pikante Auberginenpfanne

Dieses Gericht mit Mango-Chutney und Chilischoten verbindet auf herrliche Weise scharfe und süßliche Geschmacksnoten.

Für 4 Personen

ZUTATEN

3 EL Erdnussöl
2 Zwiebeln, in Ringen
2 Knoblauchzehen, gehackt
2 Auberginen, gewürfelt
2 rote Chilischoten, entkernt und sehr fein gehackt
2 EL brauner Zucker
6 Frühlingszwiebeln, in Ringen
3 EL Mango-Chutney
Öl, zum Frittieren
2 Knoblauchzehen, in feinen Scheiben, zum Garnieren

1 Erdnussöl in einem großen, vorgewärmten Wok erhitzen.

2 Zwiebeln und Knoblauch kurz darin anbraten.

3 Auberginen und Chili zufügen und 5 Minuten pfannenrühren.

4 Zucker, Frühlingszwiebeln und Mango-Chutney unterrühren. Hitze reduzieren, Wok abdecken und das Gericht unter gelegentlichem Rühren 15 Minuten köcheln, bis die Auberginen gar sind.

5 Das Gericht auf Schalen verteilen und warm stellen. Frittieröl im Wok erhitzen, die Knoblauchscheiben darin kurz anbraten und über das Gemüse streuen. Sofort servieren.

TIPP

Der Schärfegrad von Chillies variiert beträchtlich, darum mit Vorsicht verwenden. Faustregel: Je kleiner, desto schärfer. Brennend scharf sind die Kerne, die darum meist entfernt werden.

TIPP

Da die Auberginen das Öl rasch aufsaugen und daher leicht anbrennen können, müssen sie ständig gewendet werden.

Gemüse mit Erdnüssen und Ei

In China ist dieses Rezept als Gado Gado *bekannt, ein echter Klassiker, der niemals an Popularität verliert. Ein herrlicher warmer Salat mit Erdnusssauce.*

Für 4 Personen

ZUTATEN

2 Eier
225 g Möhren
350 g Weißkohl
2 EL Öl
1 rote Paprika, entkernt und in schmale Streifen geschnitten
150 g Bohnensprossen
1 EL Tomatenketchup
2 EL Sojasauce
75 g gesalzene Erdnüsse, gehackt

1 Wasser in einem kleinen Topf zum Kochen bringen. Eier darin ca. 7 Minuten kochen. Herausnehmen und unter fließendem kalten Wasser 1 Minute abschrecken.

2 Eier pellen und in Viertel teilen.

3 Möhren schälen und grob raspeln.

4 Weißkohl mit einem scharfen Messer in schmale Streifen schneiden.

5 Öl in einem großen, vorgewärmten Wok erhitzen.

6 Möhren, Weißkohl und Paprika zugeben und 3 Minuten pfannenrühren.

7 Bohnensprossen zufügen und weitere 2 Minuten rühren.

8 Tomatenketchup, Sojasauce sowie Erdnüsse zufügen und alles 1 weitere Minute rühren.

9 Das fertige Gemüse auf vorgewärmte Teller verteilen und mit den Eivierteln garnieren. Heiß servieren.

TIPP

Um zu verhindern, dass sich das Eigelb am Rand dunkel färbt, die Eier sofort nach dem Kochen unter kaltem Wasser abschrecken.

2

Reis & Nudeln

Reis und Nudeln gehören in Asien zu den Grundnahrungsmitteln. Sie sind preiswert, gehaltvoll, nahrhaft und schmecken gut. Außerdem sind sie vielseitig verwendbar und gehören darum zu jeder Mahlzeit. Nudeln und Reis werden oft als Beilage serviert, können aber – mit Fleisch, Gemüse und Fisch zubereitet – auch den Hauptgang stellen.

In Asien werden verschiedene Reissorten angebaut und jede Sorte wird nach einer bestimmten Methode gegart. Bedingt durch das jeweilige Klima wurden in den einzelnen Ländern gängige Rezepte dem eigenen Geschmack angepasst. Man reicht einfachen Reis auch, um eine längere Speisenfolge zu unterbrechen und die Magenschleimhäute zu beruhigen.

Die Nudelsorten variieren von Land zu Land und werden in zahllosen Formen angeboten. Dünne Eiernudeln aus Weizenmehl, Wasser und Ei sind hier am bekanntesten. Sie sind frisch und getrocknet erhältlich und haben eine kurze Garzeit. Auch Reisnudeln sind sehr beliebt. Der chinesische Name dafür lautet sha he, *der japanische* harusame. *Aus gemahlenen Mungbohnen werden die durchsichtigen Glasnudeln gemacht, die zu vielen Rezepten passen.*

Gebratener Reis mit scharfen Bohnen

Die roten Kidneybohnen und die gelben Maiskörner machen aus dem Reis ein wunderschön buntes Gericht. Der Reis kann als Hauptmahlzeit oder als Beilage zu Fisch serviert werden.

Für 4 Personen

ZUTATEN

3 EL Sonnenblumenöl
1 Zwiebel, fein gehackt
225 g Langkornreis
1 grüne Paprika, entkernt und in Würfel geschnitten
1 TL Chilipulver
600 ml kochendes Wasser
100 g Mais aus der Dose, abgetropft
225 g rote Kidneybohnen
2 EL frisch gehackter Koriander

1 Sonnenblumenöl in einem großen, vorgewärmten Wok erhitzen.

2 Zwiebel in den Wok geben und ca. 2 Minuten pfannenrühren.

3 Langkornreis, gewürfelte Paprika und Chilipulver zufügen und 1 Minute unterrühren.

4 Wasser in den Wok gießen. Aufkochen lassen, dann die Hitze reduzieren und die Mischung 15 Minuten köcheln lassen.

5 Mais, Kidneybohnen und Koriander in den Wok geben und erhitzen, dabei gelegentlich umrühren.

6 Den fertigen Reis in eine Servierschüssel füllen und servieren.

TIPP

Damit der Reis schön trocken wird, vor dem Garen kurz einweichen, um die überschüssige Stärke zu entfernen. Statt Langkornreis ist auch Rundkornreis asiatischer Herkunft geeignet.

VARIATION

Wer es schärfer mag, kann in Schritt 3 zum Chilipulver 1 gehackte rote Chilischote zufügen.

Kokosreis

Der duftende, süße Reis passt hervorragend zu Fleisch-, Gemüse- oder Fischgerichten nach thailändischer Art.

Für 4 Personen

ZUTATEN

275 g Langkornreis
600 ml Wasser
1/2 TL Salz
100 ml Kokosmilch
25 g getrocknete Kokosflocken

1 Reis unter fließendem Wasser so lange säubern, bis das Wasser klar bleibt.

2 In ein Sieb geben und abtropfen lassen.

3 Reis und Wasser in einen Wok geben.

4 Salz und Kokosmilch zufügen und zum Kochen bringen. Wok abdecken, Hitze reduzieren und 10 Minuten köcheln.

5 Deckel abnehmen und die Reiskörner mit einer Gabel auflockern – das Wasser muss vollständig verdunstet und der Reis weich sein.

6 Kokosreis in eine vorgewärmte Servierschüssel füllen und mit Kokosflocken bestreuen. Sofort servieren.

TIPP

Kokosmilch ist nicht die Flüssigkeit im Innern der Kokosnuss, sondern wird aus dem weißen Kokosfleisch gewonnen, das in Wasser und Milch eingeweicht und dann ausgepresst wird, sodass ein Konzentrat entsteht.

TIPP

Wenn Sie den rohen Reis unter fließendem Wasser abspülen, tritt die Reisstärke aus und die Körner kleben nicht zusammen.

2

3

5

Zwiebelreis mit Fünf-Gewürze-Huhn

Dieser Reis verdankt seine wunderbare gelbe Farbe der Kurkuma und sein herrliches Aroma dem chinesischen Fünf-Gewürze-Pulver.

Für 4 Personen

ZUTATEN

1 EL Fünf-Gewürze-Pulver
2 EL Speisestärke
350 g Hühnerbrustfilet, gewürfelt
3 EL Erdnussöl
1 Zwiebel, gewürfelt
225 g Langkornreis
½ TL Kurkuma
600 ml Hühnerbrühe
2 EL frisch gehackter Schnittlauch

1 Fünf-Gewürze-Pulver und Speisestärke in eine große Schüssel geben. Hühnerfleisch zufügen und rundum in der Mischung wenden.

2 2 Esslöffel Erdnussöl in einem vorgewärmten Wok erhitzen. Hühnerwürfel zufügen und 5 Minuten unter schnellem Rühren braten. Aus dem Wok nehmen und beiseite stellen.

3 Restliches Erdnussöl in den Wok geben.

4 Zwiebel zufügen und 1 Minute pfannenrühren.

5 Reis, Kurkuma und Hühnerbrühe in den Wok geben und zum Kochen bringen.

6 Hühnerwürfel in den Wok zurückgeben. Hitze reduzieren und 10 Minuten köcheln lassen, bis die Flüssigkeit vollständig verdunstet und der Reis gar ist.

7 Mit Schnittlauch bestreuen, umrühren und heiß servieren.

TIPP

Vorsicht: Kurkuma färbt Hände und Kleidung gelb.

1

2

5

Chinesischer Hühnerreis

Sie können diesen bunten Reis als Hauptgericht oder als Beilage zu anderen Gerichten servieren.

Für 4 Personen

ZUTATEN

350 g Langkornreis
1 TL Kurkuma
2 EL Sonnenblumenöl
350 g Hühnerbrustfilet, in Scheiben geschnitten
1 rote und 1 grüne Paprika, entkernt und in Streifen
1 grüne Chilischote, entkernt und fein gehackt
1 mittelgroße Möhre, grob geraspelt
150 g Bohnensprossen
6 Frühlingszwiebeln, in Ringen
2 EL Sojasauce
zusätzliche Frühlingszwiebeln, zum Garnieren

1 Reis und Kurkuma in einen großen Topf mit leicht gesalzenem Wasser geben und ca. 10 Minuten bissfest garen. Reis gründlich abtropfen und zwischen einigen Lagen Küchenpapier das Restwasser herausdrücken.

2 Sonnenblumenöl in einem großen, vorgewärmten Wok erhitzen.

3 Hühnerbrust in den Wok geben und bei starker Hitze kurz anbräunen.

4 Paprika und Chili in den Wok geben und 2–3 Minuten pfannenrühren.

5 Reis portionsweise in den Wok geben und jeweils gründlich unterrühren.

6 Möhre, Bohnensprossen und Frühlingszwiebeln in den Wok geben und 2 Minuten pfannenrühren.

7 Sojasauce darüber träufeln und alles gut vermengen.

8 Nach Wunsch mit zusätzlichen Frühlingszwiebeln garnieren und sofort servieren.

VARIATION

Eine Alternative zum Hühnchen ist in Hoisinsauce mariniertes Schweinefleisch.

Süßer Chili-Schweinetopf mit Reis

Dieses Reisgericht ist eine Variante des Eierreises. Es kann als Hauptgericht oder als Beilage zu einem anderen Fleischgericht serviert werden.

Für 4 Personen

ZUTATEN

450 g Schweinefleisch (Lende)
2 EL Sonnenblumenöl
2 EL süße Chilisauce
1 Zwiebel, in Ringen
175 g Möhren, in dünne Stifte geschnitten
175 g Zucchini, in Stiften
100 g Bambussprossen aus der Dose, abgetropft
275 g Langkornreis, gegart
1 Ei, verquirlt
1 EL frisch gehackte Petersilie
zusätzliche süße Chilisauce, zum Servieren

1 Schweinefleisch in dünne Scheiben schneiden.

2 Das Öl in einem großen, vorgewärmten Wok erhitzen.

3 Fleischscheiben zugeben und 5 Minuten anbraten.

4 Chilisauce zufügen und unter ständigem Rühren 2–3 Minuten kochen, bis die Flüssigkeit eindickt.

5 Zwiebeln, Möhren, Zucchini und Bambussprossen in den
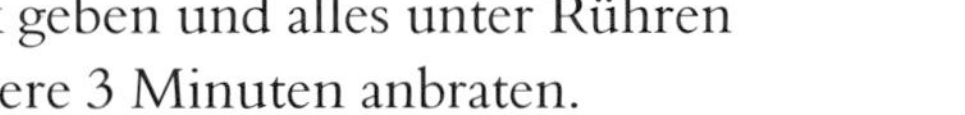
Wok geben und alles unter Rühren weitere 3 Minuten anbraten.

6 Gekochten Reis zufügen und 2–3 Minuten pfannenrühren, bis der Reis heiß ist.

7 Ei über den Reis gießen und alle Zutaten so lange wenden, bis das Ei gestockt ist.

8 Das fertige Gericht mit Petersilie bestreuen und sofort servieren. Nach Wunsch zusätzlich süße Chilisauce dazu reichen.

TIPP

Wenn es besonders schnell gehen soll, können Sie tiefgefrorenes Gemüse unter den Reis mischen.

Eierreis mit Würzrindfleisch

Hier wird Rinderfilet verwendet, da es klein geschnitten im Wok sehr schnell gar ist und dem Reis ein wunderbares Aroma verleiht.

Für 4 Personen

ZUTATEN

225 g Langkornreis
600 ml Wasser
350 g Rinderfilet
2 EL Sojasauce
2 EL Tomatenketchup
1 EL Sieben-Gewürze-Pulver
2 EL Erdnussöl
1 Zwiebel, gewürfelt
225 g Möhren, gewürfelt
100 g Erbsen, tiefgefroren
2 Eier
2 EL kaltes Wasser

1 Reis unter fließendem Wasser waschen und gründlich abtropfen. Dann mit dem Wasser in einem Topf zum Kochen bringen, abdecken und 12 Minuten köcheln lassen. Den fertigen Reis in eine Schüssel geben und abkühlen lassen.

2 Fleisch mit einem scharfen Messer in dünne Scheiben schneiden.

3 Sojasauce, Ketchup und Sieben-Gewürze-Pulver vermengen. Die Fleischstücke gleichmäßig von allen Seiten darin wenden.

4 Erdnussöl in einem großen, vorgewärmten Wok erhitzen.

5 Fleisch in den Wok geben und 3–4 Minuten schnell anbraten.

6 Zwiebel, Möhren und Erbsen in den Wok geben und 2–3 Minuten pfannenrühren.

7 Gegarten Reis zufügen und mit den anderen Zutaten vermengen.

8 Eier mit dem kaltem Wasser verquirlen. Über den Reis gießen und 3–4 Minuten mitgaren, bis die Eier stocken und der Reis wieder heiß ist. Das Gericht in ein vorgewärmtes Gefäß geben und sofort servieren.

VARIATION

Das Rindfleisch durch Schweinefilet oder Hühnerfleisch ersetzen.

5

6

8

Reis mit chinesischer Wurst

Dieses Gericht ist besonders schnell zubereitet, da vorgekochter Reis verwendet wird, und eignet sich daher vorzüglich für die Blitzküche.

Für 4 Personen

ZUTATEN

350 g chinesische Wurst
2 EL Sonnenblumenöl
2 EL Sojasauce
1 Zwiebel, in Ringen
175 g Möhren, in Stiften
175 g Erbsen
100 g Ananasstücke aus der Dose, abgetropft
275 g Langkornreis, gegart
1 Ei, verquirlt
1 EL frisch gehackte Petersilie

1 Chinesische Wurst in dünne Scheiben schneiden.

2 Sonnenblumenöl in einem großen, vorgewärmten Wok erhitzen.

3 Wurstscheiben zugeben und 5 Minuten unter Rühren anbraten.

4 Sojasauce einrühren und 2–3 Minuten eindicken lassen.

5 Zwiebel, Möhren, Erbsen und Ananas in den Wok geben und 3 Minuten unter schnellem Rühren mitgaren.

6 Gegarten Reis in den Wok geben und 2–3 Minuten pfannenrühren, bis er heiß ist.

7 Ei über den Reis geben und weiterrühren, bis es stockt.

8 Den fertigen Reis in eine vorgewärmte große Servierschüssel füllen und reichlich mit Petersilie bestreuen. Sofort servieren.

TIPP

Um die Vorbereitungszeit für viele Wok-Rezepte zu verkürzen, kann man größere Mengen Reis auf Vorrat kochen und einfrieren.

Chinesisches Risotto

Dieses Risotto wird mit Möhren und Paprika zubereitet. Sein herzhaftes Aroma erhält es durch die chinesische Wurst.

Für 4 Personen

ZUTATEN

2 EL Erdnussöl
1 Zwiebel, in Ringen
2 Knoblauchzehen, zerdrückt
1 TL Fünf-Gewürze-Pulver
225 g chinesische Wurst, in Scheiben geschnitten
225 g Möhren, gewürfelt
1 grüne Paprika, entkernt und gewürfelt
275 g Risottoreis
850 ml Gemüse- oder Hühnerbrühe
1 EL frisch gehackter Schnittlauch

1 Erdnussöl in einem großen, vorgewärmten Wok erhitzen.

2 Zwiebel, Knoblauch und Fünf-Gewürze-Pulver zugeben und 1 Minute pfannenrühren.

3 Wurst, Möhren sowie Paprika zufügen und gut vermengen.

4 Risottoreis zugeben und 1 Minute pfannenrühren.

5 Nach und nach unter ständigem Rühren die Brühe zugießen, bis der Reis gar ist.

6 Mit der letzten Portion Brühe den Schnittlauch unterrühren.

7 Das Risotto in vorgewärmte Portionsschalen geben und sofort servieren.

TIPP

Die sehr würzige chinesische Wurst besteht aus Schweinefett, Schweinefleisch und Gewürzen.

VARIATION

Finden Sie keine chinesische Wurst, nehmen Sie stattdessen portugiesische.

Krebsreis

Dies ist ein typisches Frühstück in China. Sie müssen den Krebsreis nicht gleich zum Frühstück essen, man kann ihn auch mittags oder abends als leichtes Mahl genießen.

Für 4 Personen

ZUTATEN

225 g Rundkornreis
1 1/2 l Fischbrühe
1/2 TL Salz
100 g chinesische Wurst, in dünnen Scheiben
225 g weißes Krebsfleisch
6 Frühlingszwiebeln, in Ringen
2 EL frisch gehackter Koriander

1 Rundkornreis in einen großen, vorgewärmten Wok geben.

2 Fischbrühe zugießen und aufkochen. Dann die Hitze reduzieren und 1 Stunde garen, dabei häufig umrühren.

3 Salz, Wurst, Krebsfleisch, Frühlingszwiebeln und Koriander in den Wok geben und ca. 5 Minuten erhitzen.

4 Wenn die Masse zu fest wird, mit zusätzlichem Wasser verdünnen.

5 Krebsreis in vorgewärmten Schalen sofort servieren.

TIPP

Kaufen Sie das Krebsfleisch möglichst frisch, ersatzweise tiefgefrorene Ware oder Konserven. Der milde Krebsgeschmack verflüchtigt sich rasch, deshalb bevorzugen chinesische Köche lebende Krebse. In Westeuropa werden Krebse jedoch vorwiegend gegart verkauft. Ihr Gewicht sollte ihrer Größe entsprechen und man sollte beim Schütteln innen kein Wasser hören.

TIPP

Rundkornreis saugt die Flüssigkeit langsamer auf als Langkornreis und gibt dem Gericht seine besondere Konsistenz. Zu empfehlen ist Risottoreis wie z. B. Arborio.

Huhn Chow Mein

Ein Kochbuch über asiatische Küche wäre nicht vollständig ohne ein Rezept für Chow Mein. *Dieses klassische Gericht benötigt keine Einführung, da es hinlänglich bekannt ist.*

Für 4 Personen

ZUTATEN

250 g Eiernudeln mittlerer Breite
2 EL Sonnenblumenöl
275 g Hühnerbrustfilet, in Streifen geschnitten
1 Knoblauchzehe, zerdrückt
1 rote Paprika, entkernt und in schmale Streifen geschnitten
100 g Shiitake-Pilze, in Scheiben geschnitten
6 Frühlingszwiebeln, in Ringen
100 g Bohnensprossen
3 EL Sojasauce
1 EL Sesamöl

1 Eiernudeln in eine Schüssel geben und in größere Stücke brechen.

2 Mit kochendem Wasser bedecken und beiseite stellen.

3 In der Zwischenzeit Sonnenblumenöl in einem großen, vorgewärmten Wok erhitzen.

4 Filetstreifen, Knoblauch, Paprika, Pilze, Frühlingszwiebeln und Bohnensprossen in den Wok geben und ca. 5 Minuten pfannenrühren.

5 Nudelwasser abgießen. Nudeln gut abtropfen und in den Wok geben. Alle Zutaten gut vermengen und 5 Minuten weiterrühren.

6 Sojasauce und Sesamöl über das Chow Mein träufeln und mit den anderen Zutaten mischen.

7 Die Hühner-Nudeln in vorgewärmte Schalen füllen und sofort servieren.

VARIATION

Statt des Huhns Gemüse verwenden – ein Rezept für Vegetarier.

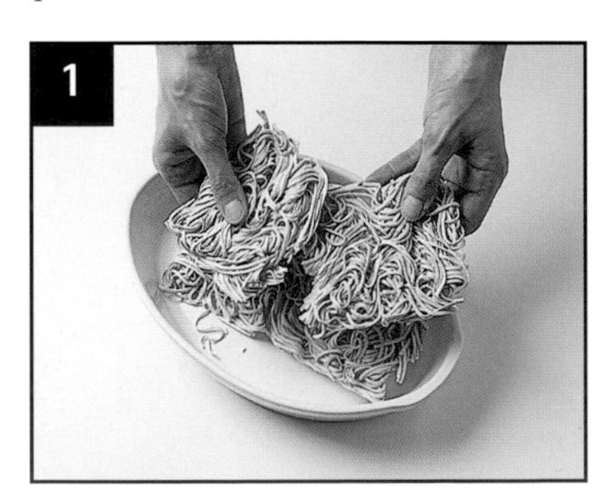

1

4

5

Eiernudeln mit Huhn und Austernsauce

Das Hühnerfleisch und die Nudeln werden in diesem Rezept mit einer Austernsaucen-Eier-Mischung überzogen.

Für 4 Personen

ZUTATEN

250 g Eiernudeln
450 g Hühnerschenkel
2 EL Erdnussöl
100 g Möhren, in Scheiben geschnitten
3 EL Austernsauce
2 Eier
3 EL kaltes Wasser

1 Eiernudeln in einen großen Topf geben. Mit kochendem Wasser bedecken und 10 Minuten ruhen lassen.

2 In der Zwischenzeit die Hühnerschenkel enthäuten, entbeinen und das Fleisch in Stücke schneiden.

3 Erdnussöl in einem großen, vorgewärmten Wok erhitzen.

4 Hühnerfleisch und Möhren zugeben und ca. 5 Minuten anbraten, dabei ständig rühren.

5 Nudeln gut abtropfen lassen, dann ebenfalls in den Wok geben und ca. 2–3 Minuten weiterrühren, bis sie heiß sind.

6 Austernsauce mit den Eiern und dem kalten Wasser verquirlen. Die Mischung über die Nudeln träufeln und 2–3 Minuten weiterrühren, bis die Eier stocken. In vorgewärmte Schalen füllen und heiß servieren.

VARIATION

Statt mit Austernsauce können Sie die Eier auch mit Soja- oder Hoisinsauce würzen.

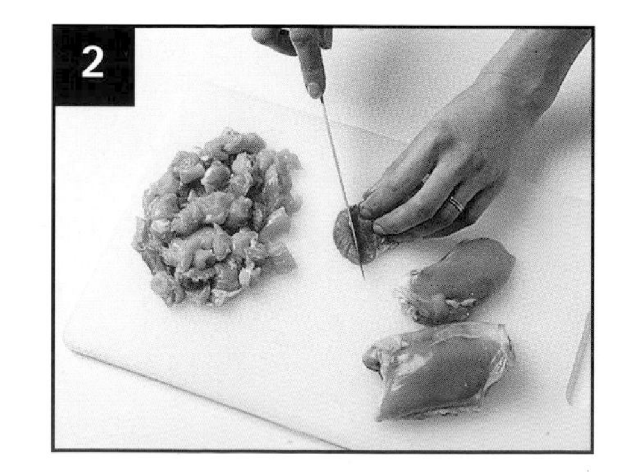

Ingwer-Chili-Rind mit frittierten Nudeln

Frittierte Nudeln sind ausgesprochen köstlich. Sie können pur oder als Beilage serviert werden, dann bestreut mit Zucker und Salz. Hier werden sie mit Ingwer und Rindfleisch zubereitet.

Für 4 Personen

ZUTATEN

225 g Eiernudeln mittlerer Breite
350 g Rinderfilet
2 EL Sonnenblumenöl
1 TL gemahlener Ingwer
1 Knoblauchzehe, zerdrückt
1 rote Chilischote, entkernt und sehr fein gehackt
100 g Möhren, in dünne Stifte geschnitten
6 Frühlingszwiebeln, in Ringen
2 EL Limettenmarmelade
2 EL Sojasauce
Öl, zum Frittieren

1 Nudeln in eine große Schüssel geben. Mit kochendem Wasser bedecken und ca. 10 Minuten ruhen lassen.

2 Fleisch mit einem scharfen Messer in dünne Scheiben schneiden.

3 Öl in einem großen, vorgewärmten Wok erhitzen.

4 Rindfleisch und Ingwer zufügen und ca. 5 Minuten pfannenrühren.

5 Knoblauch, Chili, Möhren und Frühlingszwiebeln in den Wok geben und weitere 2–3 Minuten unter Rühren mitgaren.

6 Limettenmarmelade und Sojasauce zufügen und 2 Minuten mitkochen lassen. Dann die Ingwer-Chili-Rindfleisch-Mischung aus dem Wok nehmen und warm stellen.

7 Frittieröl in den Wok geben.

8 Nudeln abtropfen lassen und mit Küchenpapier gut trockentupfen. Behutsam ins heiße Öl geben und darin 3 Minuten kross braten. Die Nudeln zum Abtropfen auf Küchenpapier geben.

9 Nudeln auf 4 Teller verteilen und mit dem Ingwer-Chili-Fleisch sofort servieren.

VARIATION

Statt Rind sind auch Schweine- und Hühnerfleisch geeignet.

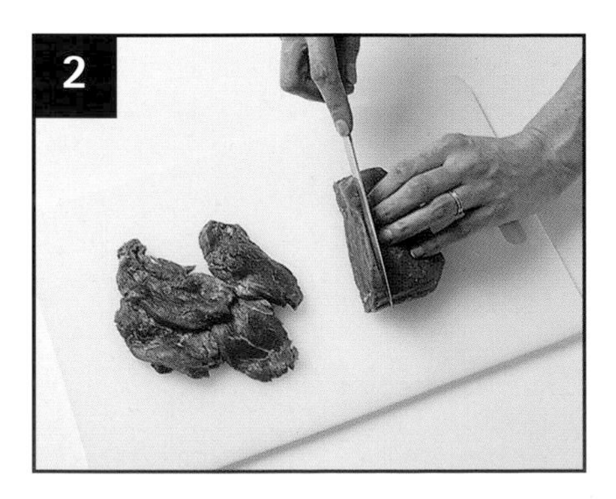

2

6

8

Zweifach gegartes Lamm mit Nudeln

In diesem Rezept wird das Lammfleisch zunächst gekocht, dann im Wok zusammen mit Spinat, Soja- und Austernsauce sowie Nudeln gebraten.

Für 4 Personen

ZUTATEN

250 g Eiernudeln
450 g Lammfilet (Lendenstück), in dünne Scheiben geschnitten
2 EL Sojasauce
2 EL Sonnenblumenöl
2 Knoblauchzehen, zerdrückt
1 EL feiner Zucker
2 EL Austernsauce
175 g junger Spinat

1 Eiernudeln in eine große Schüssel geben. Mit kochendem Wasser bedecken und ca. 10 Minuten einweichen lassen.

2 Einen großen Topf mit Wasser zum Kochen bringen. Lammfleisch darin 5 Minuten garen. Gut abtropfen lassen.

3 Fleisch in eine Schüssel geben und in einer Marinade aus Sojasauce und 1 Esslöffel Sonnenblumenöl wenden.

4 Das restliche Öl in einem großen, vorgewärmten Wok erhitzen.

5 Mariniertes Fleisch und Knoblauch in den Wok geben und ca. 5 Minuten unter ständigem Rühren anbräunen.

6 Zucker und Austernsauce einrühren.

7 Nudeln gründlich abtropfen. Dann in den Wok geben und 5 Minuten mitgaren.

8 Spinat zufügen und 1 Minute mitgaren, bis die Blätter zusammenfallen. Das fertige Gericht in Schalen füllen und heiß servieren.

TIPP

Wenn Sie getrocknete Nudeln verwenden, beachten Sie die kürzere Einweichzeit.

Nudeln „Singapur" mit Garnelen

Singapur-Nudeln sind ein klassisches Gericht aus Fleisch, Gemüse, Garnelen sowie Nudeln und können als Hauptspeise oder als Beilage serviert werden.

Für 4 Personen

ZUTATEN

250 g dünne Reisnudeln
4 EL Erdnussöl
2 Knoblauchzehen, zerdrückt
2 rote Chilischoten, entkernt und sehr fein gehackt
1 TL frisch geraspelter Ingwer
2 EL Currypaste
2 EL Reisweinessig
1 EL feiner Zucker
225 g gekochter Schinken, in dünnen Streifen
100 g Wasserkastanien aus der Dose, in Scheiben
100 g Speisepilze, in Scheiben
100 g Erbsen
1 rote Paprika, entkernt und in schmale Streifen geschnitten
100 g Garnelen, ausgelöst
2 große Eier
4 EL Kokosmilch
25 g Kokosflocken
2 EL frisch gehackter Koriander

1 Reisnudeln in einem großen Topf mit kochendem Wasser bedecken und ca. 10 Minuten einweichen. Nudeln gründlich abtropfen lassen und in 2 Esslöffeln Erdnussöl wenden.

2 Das restliche Erdnussöl in einen großen, vorgewärmten Wok geben. Knoblauch, Chili, Ingwer, Currypaste, Essig und Zucker zugeben und 1 Minute pfannenrühren.

3 Schinken, Wasserkastanien, Speisepilze, Erbsen und Paprika zufügen und 5 Minuten mitgaren.

4 Nudeln und Garnelen zugeben und 2 Minuten mitbraten.

5 Eier mit Kokosmilch verquirlen. Die Mischung in den Wok gießen und weiterrühren, bis die Eier stocken.

6 Kokosflocken und Koriander zufügen und gut verrühren. Das fertige Gericht auf vorgewärmte Portionsschalen verteilen und sofort servieren.

VARIATION

Statt Reisnudeln können Sie auch Eiernudeln verwenden.

1

3

4

Nudeln süß-sauer

Dies ist ein köstliches thailändisches Gericht aus Eiern, Reisnudeln, Riesengarnelen und Gemüse, das raffiniert süße wie saure Aromen kombiniert.

Für 4 Personen

ZUTATEN

3 EL Fischsauce
2 EL destillierter weißer Essig
2 EL feiner Zucker
2 EL Tomatenmark
2 EL Sonnenblumenöl
3 Knoblauchzehen, zerdrückt
350 g Nudeln, 5 Minuten in kochendem Wasser eingeweicht
8 Frühlingszwiebeln, in Ringen
175 g Möhren, geraspelt
150 g Bohnensprossen
2 Eier, verquirlt
225 g Riesengarnelen, ausgelöst
50 g Erdnüsse, gehackt
1 TL Chiliflocken, zum Garnieren

1 Fischsauce, Essig, Zucker und Tomatenmark in einer kleinen Schüssel verrühren und beiseite stellen.

2 Sonnenblumenöl in einem großen, vorgewärmten Wok erhitzen.

3 Knoblauch zufügen und 30 Sekunden pfannenrühren.

4 Nudeln gründlich abtropfen und zusammen mit der Fischsaucen-Mischung in den Wok geben. Alles gut vermengen.

5 Frühlingszwiebeln, Möhren und Bohnensprossen zufügen und 2–3 Minuten rühren.

6 Die Masse an den Wokrand schieben, die Eier in die Mitte geben und stocken lassen. Garnelen und Erdnüsse zufügen und alles gut vermengen.

7 Das fertige Gericht auf vorgewärmte Teller verteilen, mit Chiliflocken garnieren und heiß servieren.

TIPP

Chiliflocken sind in großen Supermärkten erhältlich.

1

Nudeln mit Chillies und Garnelen

Diese Nudeln sind sehr einfach zuzubereiten. Mit ihren vielfältigen Aromen sind sie aber auch für besondere Anlässe ein ideales Gericht.

Für 4 Personen

ZUTATEN

250 g feine Glasnudeln
2 EL Sonnenblumenöl
1 Zwiebel, in Ringen
2 rote Chilischoten, entkernt und sehr fein gehackt
4 Limettenblätter, in dünnen Streifen
1 EL frisch gehackter Koriander
2 EL feiner Zucker
2 EL Fischsauce
450 g rohe Riesengarnelen, ausgelöst

1 Nudeln in einer großen Schüssel mit kochendem Wasser bedecken und 5 Minuten ruhen lassen. Dann gründlich abtropfen.

2 Sonnenblumenöl in einem großen, vorgewärmten Wok erhitzen.

3 Zwiebel, Chillies und Limettenblätter zugeben und 1 Minute pfannenrühren.

4 Koriander, Zucker, Fischsauce und Garnelen 2 Minuten unter ständigem Rühren mitgaren, bis sich die Garnelen rosa färben.

5 Abgetropfte Nudeln in den Wok geben, gut mit den anderen Zutaten vermengen und 1–2 Minuten erhitzen.

6 Das fertige Gericht in vorgewärmten Schalen servieren.

TIPP

Fischsauce ist in Thailand eine unverzichtbare Zutat. Sie finden sie unter dem Namen Nam Pla.

TIPP

Wenn Sie keine rohen Riesengarnelen finden, nehmen Sie vorgegarte, die Sie mit den Nudeln 1 Minute lang erhitzen.

3

Mango-Kabeljau mit Nudeln

In diesem Rezept wird Fisch mit verschiedenfarbigen Paprikaschoten vermischt und mit Eiernudeln serviert.

Für 4 Personen

ZUTATEN

250 g Eiernudeln
450 g Kabeljaufilet, enthäutet
1 EL Paprikapulver
2 EL Sonnenblumenöl
1 rote Zwiebel, in Ringen
1 gelbe Paprika, entkernt und in Streifen geschnitten
1 grüne Paprika, entkernt und in Streifen geschnitten
100 g Babymaiskolben, halbiert
1 Mango, in Scheiben
100 g Bohnensprossen
2 EL Tomatenketchup
2 EL Sojasauce
2 EL Sherry (medium)
1 TL Speisestärke

1 Eiernudeln in einer großen Schüssel mit kochendem Wasser bedecken und ca. 10 Minuten einweichen.

2 Fischfilet säubern und mit Küchenpapier trockentupfen. Dann in schmale Streifen schneiden.

3 Fischstreifen in eine große Schale geben, mit Paprikapulver bestreuen und darin wenden.

4 Sonnenblumenöl in einen vorgewärmten Wok geben.

5 Zwiebel, Paprika und Mais zugeben und ca. 5 Minuten pfannenrühren.

6 Fisch mit Mango zufügen, und 2–3 Minuten weiterrühren, bis der Fisch gar ist.

7 Bohnensprossen zugeben und gut vermengen.

8 Tomatenketchup, Sojasauce, Sherry und Speisestärke mischen. In den Wok geben und unter gelegentlichem Rühren garen, bis die Flüssigkeit eindickt.

9 Nudeln gut abtropfen und in Portionsschalen füllen. Die Fisch-Mango-Mischung aus dem Wok auf andere Schalen verteilen. Gemeinsam servieren.

VARIATION

Das Rezept ist auch für Weißfischsorten wie Seeteufel oder Schellfisch bestens geeignet.

3

5

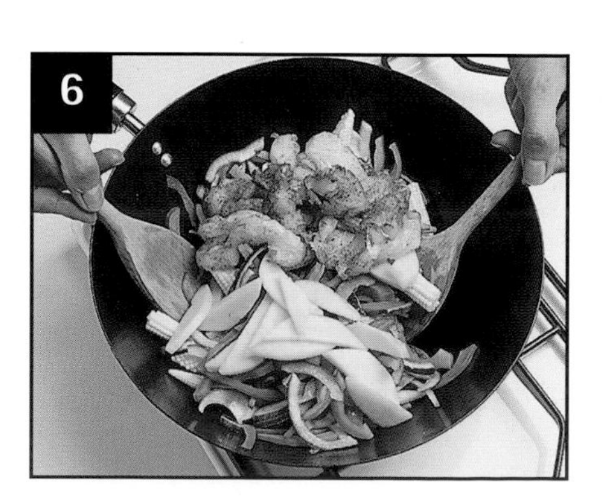
6

Japanische Nudeln mit Gemüse

Udon-Nudeln werden hier kräftig mit süßer Chilisauce gewürzt und mit Sesamsaat vermischt, die ihnen einen nussigen Geschmack verleiht.

Für 4 Personen

ZUTATEN

450 g Udon-Nudeln
1 EL Sesamöl
1 EL Sesamsaat
1 EL Sonnenblumenöl
1 rote Zwiebel, in Ringen
100 g Zuckererbsen
175 g Möhren, in dünnen Scheiben
350 g Weißkohl, in Streifen
3 EL süße Chilisauce
2 Frühlingszwiebeln, in Ringen, zum Garnieren

1 Wasser in einem großen Topf zum Kochen bringen. Nudeln zugeben und in 2–3 Minuten garen. Anschließend gut abtropfen lassen.

2 Sesamöl und Sesamsaat unter die Nudeln mischen.

3 Sonnenblumenöl in einem großen, vorgewärmten Wok erhitzen.

4 Zwiebelringe, Zuckererbsen, Möhren und Kohlstreifen in den Wok geben und ca. 5 Minuten pfannenrühren.

5 Chilisauce zufügen und unter gelegentlichem Rühren 2 Minuten mitgaren.

6 Sesamnudeln in den Wok geben, gut mit den anderen Zutaten vermengen und 2–3 Minuten erhitzen (oder die Nudeln separat in Portionsschalen füllen).

7 Zum Servieren Nudeln und Gemüse auf vorgewärmte Schalen verteilen und mit Frühlingszwiebelringen garnieren.

TIPP

Statt frischer japanischer Nudeln können Sie getrocknete Reis- oder Eiernudeln verwenden.

2

4

5

Gebratene Reisnudeln mit grünen Bohnen und Kokossauce

Hier werden Reisnudeln und Gemüse mit einer körnigen Erdnussbutter, Kokosmilch und Chiliflocken angerichtet.

Für 4 Personen

ZUTATEN

275 g flache Reisnudeln
3 EL Erdnussöl
2 Knoblauchzehen, zerdrückt
2 Schalotten, in Ringen
225 g grüne Bohnen, in Stücken
100 g Kirschtomaten, halbiert
1 TL Chiliflocken
4 EL körnige Erdnussbutter
150 ml Kokosmilch
1 EL Tomatenmark
Frühlingszwiebeln, in Ringen, zum Garnieren

1 Reisnudeln in einer großen Schüssel mit kochendem Wasser bedecken und 10 Minuten einweichen.

2 Erdnussöl in einem großen, vorgewärmten Wok erhitzen.

3 Knoblauch und Schalotten zufügen und 1 Minute pfannenrühren.

4 Reisnudeln gut abtropfen.

5 Grüne Bohnen und Nudeln in den Wok geben und 5 Minuten weiterrühren.

6 Kirschtomaten zufügen und gut unterrühren.

7 Chiliflocken, Erdnussbutter, Kokosmilch und Tomatenmark verrühren.

8 Die Sauce über die Nudeln geben, gründlich vermengen und erhitzen.

9 Das Gericht auf vorgewärmten Tellern mit Frühlingszwiebelringen garnieren und sofort servieren.

VARIATION

Für ein gehaltvolleres Gericht können Sie in Schritt 5 zusammen mit Bohnen und Nudeln Hühner- oder Rindfleischstreifen zufügen.

Warmer Mango-Nudel-Salat

Der Mango-Nudel-Salat aus Mango, Paprika und Nudeln wird hier mit einem Erdnussdressing angerichtet.

Für 4 Personen

ZUTATEN

250 g dünne Eiernudeln
2 EL Erdnussöl
4 Schalotten, in Ringen
2 Knoblauchzehen, zerdrückt
1 rote Chilischote, entkernt und zerkleinert
1 rote und 1 grüne Paprika, entkernt und in Streifen geschnitten
1 reife Mango, in Scheiben
25 g gesalzene Erdnüsse, gehackt
4 EL Erdnussbutter
100 ml Kokosmilch
1 EL Tomatenmark

1 Eiernudeln in einer großen Schüssel mit kochendem Wasser bedecken und 10 Minuten einweichen.

2 Erdnussöl in einem großen, vorgewärmten Wok erhitzen.

3 Schalotten, Knoblauch, Chili und Paprika in den Wok geben und 2–3 Minuten pfannenrühren.

4 Eiernudeln gut abtropfen lassen.

5 Nudeln und Mango in den Wok geben und ca. 2 Minuten erhitzen.

6 Nudel-Mango-Salat auf vorgewärmten Tellern anrichten und mit gehackten Erdnüssen bestreuen.

7 Erdnussbutter, Kokosmilch und Tomatenmark mischen, und dieses Dressing löffelweise über den Nudelsalat geben. Sofort servieren.

TIPP

Erdnussdressing vor dem Gebrauch behutsam erhitzen.

1

3

5

Register

2,10